Hermann Schilli

Schwarzwaldhäuser

Schwarzwaldhäuser

Hermann Schilli

Badenia Verlag Karlsruhe

Titelbild:
Vogtsbauernhof von 1570 im Freilichtmuseum Gutach.

„Vogtsbauernhof“ of 1570 open-air museum, Gutach

Fotos: Archiv Professor Hermann Schilli, Freiburg:
Seiten 14, 16, 18, 22, 24, 28, 39—43, 52, 53, 58—67, 75, 76, 77, 83, 91, 92, 96, 97, 99.

Wolfgang Roth, Neuried: Seiten 17, 47, 81, 90, 91, 95, 97, 105 und Farbfoto des Umschlags.

Archiv der Landesbildstelle Baden, Karlsruhe:
alle übrigen Fotos.

Zeichnungen: Professor Hermann Schilli, Freiburg.

Klischees: Klischeeanstalt Karl Specht, Karlsruhe.

Überarbeitete und erweiterte Auflage 1978.

Herstellung:
Badenia Verlag und Druckerei GmbH, Karlsruhe.
ISBN 3 7617 0137 3

Inhaltsverzeichnis

Einführung und Übersicht über die Schwarzwälder Hausformen

Der Schwarzwald ist ein ausgesprochenes Waldgebirge mit feucht-kühlem Klima, kurzen Sommern und langen schneereichen Wintern, das seine Bewohner auf eine ausgedehnte Viehzucht und eine bescheidene Feld-Graswirtschaft verweist. Bei dieser Wirtschaftsform wird ein Stück Land quer zum Hang umgebrochen und dann wechselnd als Acker-, Wies- und Weideland benutzt. Aus diesen Verhältnissen heraus, zu denen noch der Mensch selbst mit seinen Fertigkeiten trat, ist das raumhaltige, mächtige, nach allen Seiten abgedachte Einhaus erwachsen, das Menschen, Tiere und Erntegut birgt.

Zur Zeit der Neubesiedlung Südwestdeutschlands durch die Alemannen vom 3. Jahrhundert ab war dieses Mittelgebirge von einem zusammenhängenden tiefschattigen Urwald bedeckt, der daher von den Alemannen Schwarzwald genannt wurde. Er war naturgemäß für Siedler wenig anziehend und wurde daher zunächst gemieden. Erst in der Zeit vom 10. bis zum 14. Jahrhundert wurde im Zuge des Landesausbaues, der durch die inzwischen eingetretene Volksverdichtung erzwungen wurde, im Schwarzwald gerodet. Bei dieser Rodungstätigkeit waren die Benediktinerklöster führend, so daß der Fürstabt von St. Blasien den Schwarzwald eine Kolonie des heiligen Benedikt nannte. Nicht ganz zu Recht, denn an diesem Werk waren auch weltliche Herrschaften beteiligt, so die Bertoldinger, die Ebersteiner, die Calwer, die Herren von Sulz und deren Rechtsnachfolger, die Herren von Hornberg, die Edelherren von Falkenstein u. a.

Durch Kauf erschienen im östlichen und mittleren Schwarzwald vom 15. Jahrhundert ab die Württemberger.

Alle diese Herrschaften erließen recht unterschiedliche Gesetze und verursachten mit ihnen verschiedene wirtschaftliche und soziale Gefüge, die sich im Hausbau niederschlugen. Das Kartenbild der Hausformen (siehe letzte Umschlagseite) ist die Folge dieser territorialen Zersplitterung, die bis in das erste Jahrzehnt des letzten Jahrhunderts anhielt. Jedoch haben die Landesnatur und das einheitliche Volkstum alle Schwarzwaldhäuser auf die gemeinsame Grundform des Einhauses gebracht.

Die Siedler, die durch zu gewährende Vorrechte von den Herrschaften in den Wald gelockt wurden, kamen aus den unmittelbar benachbarten Landschaften, im Westen aus der Rheinebene, im Süden aus der Schweiz und im Osten aus dem Neckarland.

Daher ist die Kulturlandschaft des Schwarzwaldes von besonderer Eigenart; sie steckt voller Merkwürdigkeiten. Den aufmerksamen Wanderer erwarten hier besondere Überraschungen. Er entdeckt einen kulturellen Reichtum, der seinen sinnfälligsten Ausdruck in vielgestaltigen Hausformen findet, die sich, wie bereits angedeutet, aus der Natur und der Geschichte der Schwarzwaldlandschaften entwickelt haben. Diese Hausformen sind nach ihren Verbreitungsgebieten benannt. Nur bei einer Form ist eine Bezeichnung des Volksmundes gewählt worden. Beim Betrachten der Schwarzwaldhäuser wird es dem Beschauer sehr schwer fallen, von einer Hausart zu sagen, sie sei die schönste. In jeder finden gleichzeitig die Vergangenheit und die Gegenwart sowie die Seele der Landschaft und der Geist der Erbauer ihre Bekundung. Sie alle haben an den Häusern mitgeformt, denn die Entstehung einer Hausform ist ein vielschichtiger Vorgang. Dieses Geschehen ist noch nicht abgeschlossen. Ein Haus befindet sich in ständiger Umgestaltung, die sich in unseren Tagen, im Gegensatz zu früheren Zeiten, in geradezu beängstigend schnellen und traditionslosen Bahnen vollzieht.

Die Kolonisten aus der Rheinebene, der Schweiz und aus den östlichen Randgebieten haben das Firstsäulenhaus, das zu Beginn der Rodung des Schwarzwaldes noch unbestritten in diesen Landstrichen üblich gewesen ist, mitgebracht und zu der stattlichen Größe und Form weiterentwickelt, die bis in die Gegenwart überliefert worden ist. Das Wissen um diese alte Form ist bei den Schwarzwäldern lebendig geblieben; sie erzählen, diese Hausart sei von den Heiden erbaut worden, und nennen sie „Heidenhaus". Selbstverständlich wissen die Schwarzwälder, daß diese Häuser nicht von den Heiden erbaut wurden, wenn auch der Volksmund das zu behaupten scheint. Sie

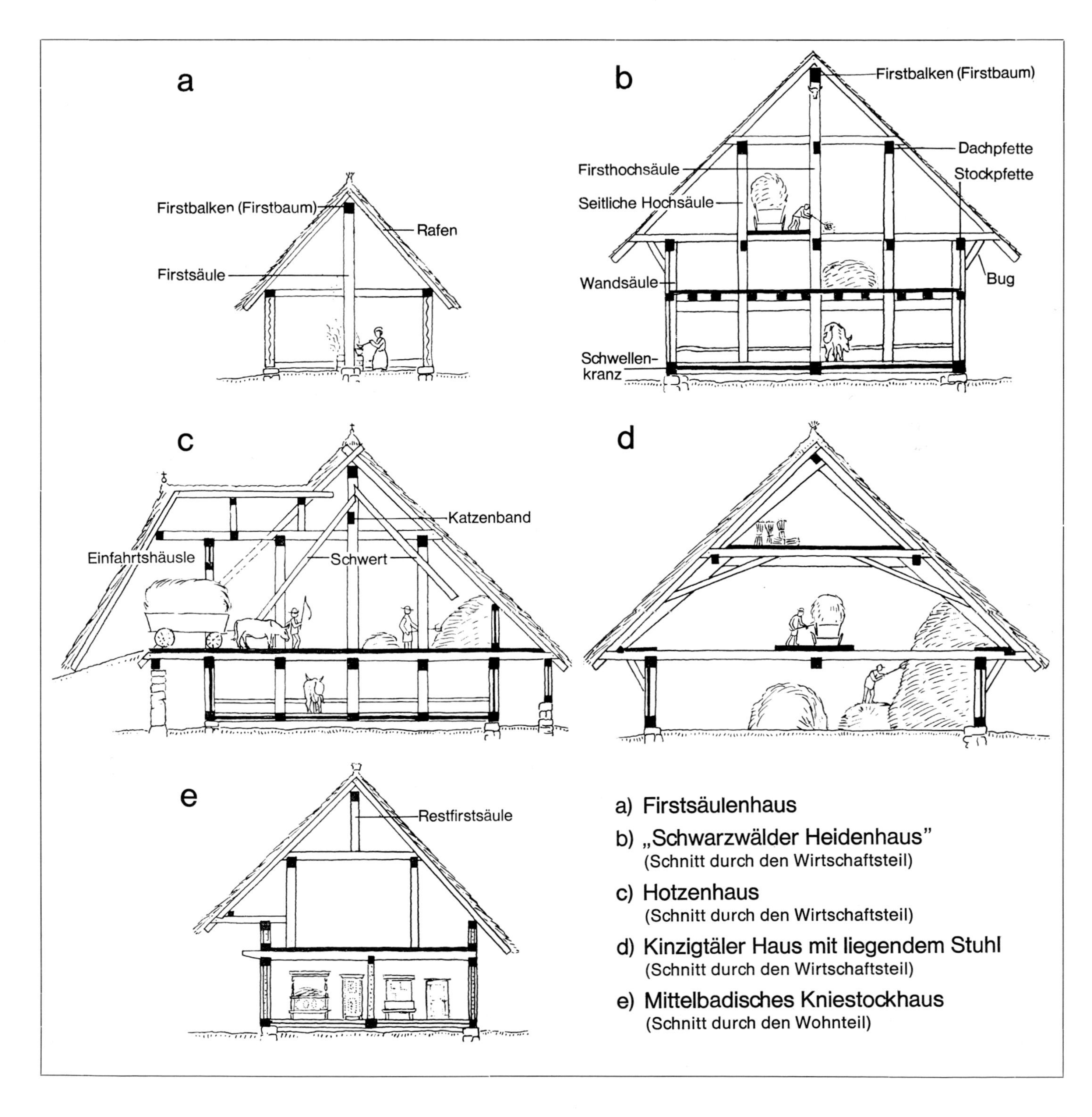

a) Firstsäulenhaus

b) „Schwarzwälder Heidenhaus"
(Schnitt durch den Wirtschaftsteil)

c) Hotzenhaus
(Schnitt durch den Wirtschaftsteil)

d) Kinzigtäler Haus mit liegendem Stuhl
(Schnitt durch den Wirtschaftsteil)

e) Mittelbadisches Kniestockhaus
(Schnitt durch den Wohnteil)

wollen vielmehr mit dieser Bezeichnung das ehrwürdige Alter und die Eigenart dieser Bauweise, die in die Erschließungszeiten des Waldes zurückreicht, zum Ausdruck bringen.
Diese Form haben die Wäldler von 1600 ab umgestaltet, so daß zwei Variationen entstanden sind, die in der Folge als „Jüngere Heidenhäuser" benannt werden sollen.
In der Ortenau waren um 1200 zwei Hausformen üblich. Im Bereich der alten Rheinübergänge zwischen Selz und Gerstheim, nördlich und südlich von Straßburg, wurden „Kniestockhäuser", hierzulande „Halbstockhäuser" genannt, erstellt. Im rechtsrheinischen Vorhügelland und in Straßburg selbst herrschte, wie überall am Oberrhein, mit Ausnahme der Vorfelder der obengenannten Brückenköpfe, das noch ältere „Firstsäulenhaus" vor. Jedoch wurde um diese Zeit, von Straßburg ausgehend, bereits damit begonnen, die Firstsäulenbauweise durch die Rahmenzimmerung zu ersetzen, welche die mächtigen Firstsäulen entbehren konnte und damit ein leichteres Aufrichten der Häuser ermöglichte. Die Kniestockbauweise und die Rahmenzimmerung waren damals neu. Sie wurden von den Siedlern aus der Ortenau in ihrer neuen Heimat im Wald, zu einer noch nicht dagewesenen Zimmerungsweise vereinigt, die den hier herrschenden Verhältnissen angepaßt war. Entsprechend dem Verbreitungsgebiet dieses Typus — es ist ein neuer Typ, denn er verkörpert mit seinem Hausgerüst und seiner Bodenaufteilung einen neuen Baugedanken — hat der Verfasser diese dritte Hausart „Kinzigtäler Haus" genannt.
Am Ostrand des Schwarzwaldes, in dem ehemaligen Herzogtum Württemberg, hat dieser straff regierte Staat durch seine bau- und feuerpolizeilichen Bestimmungen im 16. Jahrhundert noch zur Schaffung einer vierten Form beigetragen. Dabei entstand das „Gutacher Haus", so benannt nach dem Tal, durch das dieses Haus schlechthin als das „Schwarzwaldhaus" bekanntgeworden ist.
Im südlichen Schwarzwald sind es die freundnachbarlichen Beziehungen zur Eidgenossenschaft gewesen, die hier das mittelalterliche Firstsäulenhaus unerheblich umgestaltet haben, ohne aber das urtümliche Gefüge zu verändern. Dabei sind am Südabfall des Schwarzwaldes eine fünfte Form, das „Hotzenhaus", zu dem wir ein Ebenbild in dem Aargauer Strohhaus finden, und als sechster Typ das „Schauinslandhaus" mit einer Entsprechung im Luzerner Mittelland entstanden. Es darf hier daran erinnert werden, daß Teile des heutigen Aargaues mit dem Hauensteiner Land, dem Hotzenwald, wie wir heute sagen, eine vorderösterreichische Verwaltungseinheit bildeten, und daß das Verbreitungsgebiet des Schauinslandhauses in den Zeiten der schweizerischen Religions- und Bauernfehden sowie nach dem Dreißigjährigen Krieg ein beliebtes Auswanderungsziel für die Schweizer gewesen ist.
Eine siebte Hausform, das „Zartener Haus", stand im Zartener Becken östlich von Freiburg. Kriegseinwirkungen und Umbauten in der Zeit nach dem Zweiten Weltkrieg haben sie bis auf wenige Exemplare zum Verschwinden gebracht.
Die einstige territoriale Aufsplitterung des Schwarzwaldes hat ferner die Verschiedenheit des Rechts und damit die Ungleichheit der Erbsitten bedingt. Diese und das kulturelle Streben der Bauern im Verein mit den Gegebenheiten der Naturräume haben neben den aufgeführten sieben Grundformen eine Reihe von Übergangs- und Mischformen entstehen lassen, die an den Rändern der Verbreitungsgebiete der oben angeführten Typen zu finden sind.
Die Übersicht über die Hausarten des Schwarzwaldes wäre jedoch unvollständig, würden wir nicht noch am Ende unserer Wanderung durch die Hauslandschaften dieses Mittelgebirges, der Kleinformen für die Behausungen der Altbauern, Handwerker, Waldgewerbler, Waldarbeiter und Taglöhner, soweit es solche in früheren Zeiten gegeben hat, gedenken.

Zur Bauweise der Schwarzwaldhäuser

Es ist wohl selbstverständlich, daß die Siedler in ihrer neuen Heimat, in der das Holz vor der Haustüre stand, ihre Häuser in Holz erstellt haben. Alle Schwarzwaldhäuser sind daher holzgezimmerte Ständer-Bohlen- bzw. Ständer-Vierkanthölzer-Bauten. Bei dieser Bauweise wird die äußere Form des Hauses durch ein Gerippe von mächtigen, weit gestellten Holzsäulen (Ständern) bestimmt, die, mit Ausnahme der Kinzigtäler und Gutacher Häuser, auf einem auf Pfosten oder Trockenmauerwerk gelagerten Schwellenkranz fußen. Die Säulen sind durch waagerechte Riegel ausgesteift. Säulen und Riegel sind unter sich überplattet. In die waagerechten Fugen sind von oben nach unten und von unten nach oben Holznägel schräg eingetrieben. Die Gefache zwischen den Säulen sind mit Bohlen, Vierkanthölzern oder Brettern ausgesetzt, je nach dem Verwendungszweck des Raumes. Die Decken und die Fußböden bestehen ebenfalls aus Bohlen. Sie sind durch Schlitze in den Riegeln von außen eingeschoben. Die zuletzt eingeschobene Bohle, der „Schub", ist länger und steht daher zumeist über die Hauswand vor.

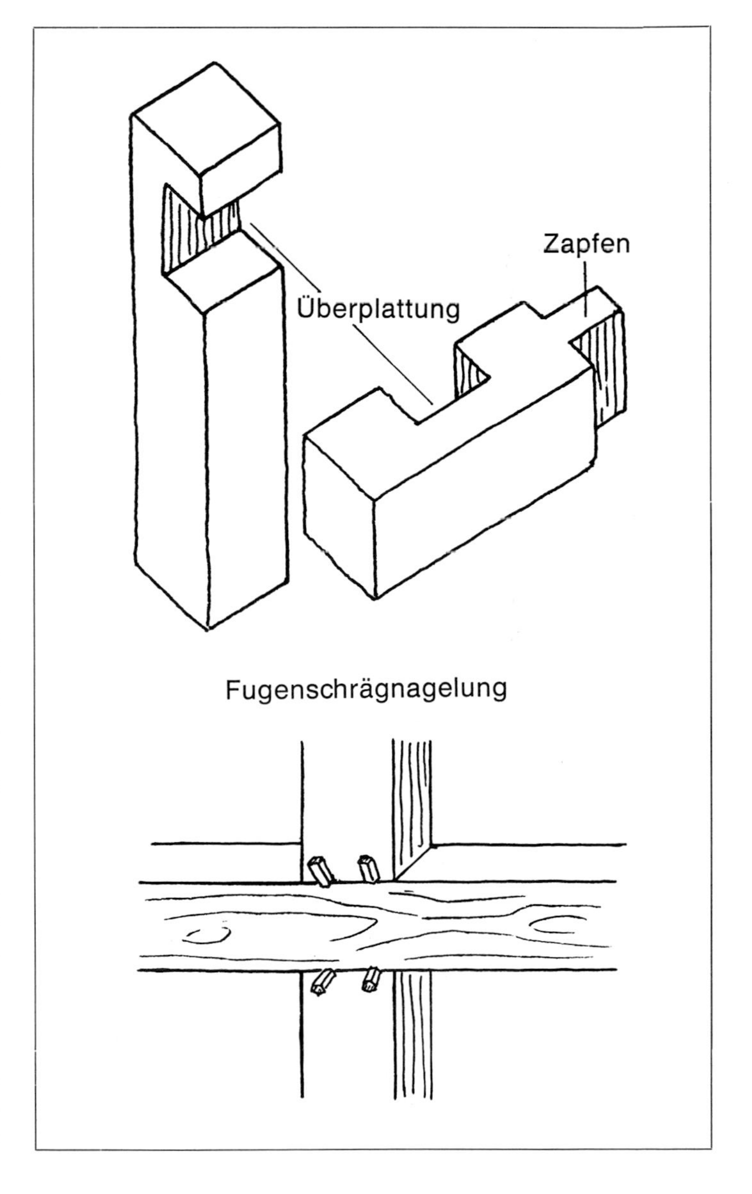

Bei der Ausfachung der Wände sind die Öffnungen für die großen Fensterflächen ausgespart. Oben und unten sind diese Öffnungen von kräftigen Sturz- und Gesimsbalken begrenzt, die von der Ecksäule bis zur nächsten Wandsäule in der Schmal- wie in der Eingangslangseite des Hauses laufen. Die Fensterumrahmungen und die Glasflächen springen dabei um 6 bis 12 Zentimeter vor die Flucht der Säulen vor. Die großen Glasflächen mußten den Bewegungen des hölzernen Hauses entzogen werden. Sie sind daher in viele kleine Scheiben aufgeteilt, die unverkittet in den Sprossen sitzen. Hierdurch ergab sich für die Außenansicht das schöne architektonische Schmuckglied des „alemannischen Erkers" bzw. des „alemannischen Fensterbandes", und im Innern entstand der trauliche „Herrgottswinkel" ohne jegliche ästhetische Nebenabsicht.

Über dem Hauskörper baut sich das gewaltige Dach auf, dessen unterschiedliche Gestaltung im Verein mit verschiedenen Bodenaufteilungen und Anordnungen im Gelände zur Ausbildung der

Lage und Begriff des Hofes

sieben Schwarzwälder Haustypen geführt hat. Der Dachraum ist jedoch bei allen Schwarzwälder Bauernhäusern vom Hange aus über eine Brücke oder eine Erdrampe, die „Hocheinfahrt", befahrbar.
Dieser Aufbau ist ein wahres Meisterwerk des Holzbaues. Er ist von künstlerischer Klarheit und vollständiger Harmonie, sowohl in der äußeren Form wie im inneren Wesen. Der Betrachter spürt, daß diese Gebilde seine Gestalt nicht nur den technischen Fertigkeiten, sondern darüber hinaus dem guten Formgefühl des Zimmermanns verdanken. Dieses Haus ist mehr als nur irgendein Unterschlupf gegen die Unbilden der Witterung und mehr als eine zufällige Ansammlung von Räumen zur Verrichtung einer wirtschaftlichen Tätigkeit. Das Ganze und die Einzelheiten sind wohl durchdacht, einfach und zweckmäßig geformt. Wie sinnvoll und zugleich wirtschaftlich ist die Ständer-Füllholzbauweise der Wände aus den Eigenschaften des Holzes und den Notwendigkeiten des Zusammenbaues heraus gestaltet, wobei die Füllhölzer Bohlen, Vierkanthölzer oder Bretter sein können. Wie wohlgestaltet muten uns doch diese Wände in ihrer zeit- und schmucklosen Form an. Diese urige Konstruktion verleiht der äußeren Erscheinung aller Schwarzwaldhäuser eine gewisse Wucht und geben dem Besucher das wohltuende Gefühl der Bodenständigkeit und des Heimatlichen, ja des Geborgenseins hinter diesen Wänden. Oder wie praktisch, aus der Arbeitseigenart des Holzes heraus, sind die Türen beschaffen. In ihre Bretter und in die unter ihnen liegenden Leisten sind versetzt Holznägel mit liebevoll geformten Köpfen schräg eingeschlagen. Auf diese Weise werden die Bretter dauernd in Spannung gehalten und das gefürchtete Werfen der Bretter verhindert. Auch erinnern wir uns an das oben Ausgeführte über die Fenster.

Jedes Schwarzwaldhaus steht wie ein Herrensitz vereinzelt inmitten der eigenen Feldflur, damit sein Besitzer die Vorteile dieser Lage, wie kurze Betriebswege und eine vom Nachbarn ungehemmte Entfaltung und Bewirtschaftung, ausnützen kann. Dabei ist der Bauplatz nach praktischen und betriebswirtschaftlichen Gesichtspunkten ausgesucht. Das Haus liegt zumeist etwas unterhalb des Quellhorizonts, an der Grenze zwischen dem talwärts gelegenen Wiesland und den oberhalb sich anschließenden Wechsel- und Weidfeldern. Dieser Kulturenscheide folgt auch der Weg, unterhalb dessen die Häuser in unregelmäßigen Abständen aufgereiht erscheinen. Die Flur des Hofes streicht winkelrecht zum Bachlauf von der einen Höhe hangab durch den Bachgrund und wieder hangauf auf die gegenüberliegende Höhe, vom „Sommerberg" zum „Winterberg". Ein solcher Riemenhof umfaßt von Grenze zu Grenze auf den beidseitigen Wasserscheiden sämtliche Lagen und Bodenarten des Tales. Unten im feuchten Bachgrund liegt der kostbare Besitz des Bauern, die wässerbaren Wiesen, die Matten, dann folgen auf dem „Sommerberg" (Süd- und Westhänge) die Daueräcker und die Wechselfelder, die wechselnd als Acker- und Grasland bewirtschaftet werden. Dieses Feld-Grasland geht dann oben über in das Ödland, das als Weide dient, und leitet schließlich über zum Wald auf der Höhe. Der gegenüberliegende sonnenärmere „Winterberg" ist nicht so stark gerodet; hier steht des Bauern Wald. Die Häuser selbst mit ihren imponierenden Walmen — so werden die dreieckigen Dachflächen über den Schmalseiten genannt — lagern sich bald nahe der Talsohle, bald lugen sie vom Berghang zwischen Eschen, Ebereschen und Sommerlinden halb versteckt hervor. Sehr oft ducken sich die Gebäude in eine Bodenfalte, wobei die Dachtraufen unmerklich dem Boden folgen und das Haus untrennbar mit der Erde verbinden, so daß es wie ein Stück Natur erscheint. Bei den älteren „Heidenhäusern", dem Kinzigtäler und dem Gutacher Haus laufen die Firste mit den Fall-Linien der Hänge parallel. Die „Heidenhäuser", die niedriger gebaut sind als die übrigen Schwarzwaldhäuser, erscheinen hierdurch geduckt, schwer und dem Boden

verhaftet, aber auch warm und heimelig. Ausgedehnter erscheinen die Siedlungsbilder der „Heidenhäuser“ auf den weiten Hofflächen des mittleren Schwarzwaldes, wo sie stellenweise ähnliche Siedlungen gebildet haben. Andere Arten von Häusern ziehen eine freie Stellung auf einem Bühl oder auf einer Tasschulter vor; wieder andere kuscheln sich querfirstig an den Hang. Immer aber vermag der Bauer mit dem hochbeladenen Heuwagen über eine Erdrampe hinweg in den Dachraum des Hauses einzufahren. Bei allen Schwarzwälder Häusern bieten die großen schindel- oder strohgedeckten Dachflächen mit ihren tiefen Schatten, das reiche Sprossenwerk der sich in der Sonne spiegelnden Fenster, die mächtigen Hölzer im Zusammenwirken mit der sichtbaren kraftvollen Konstruktion einen prächtigen Anblick, den man nicht so leicht vergißt.
Zu einem Hof gehören das Hauptgebäude mit Wohnung, Stallung und Scheuer unter dem gleichen Dach, des weiteren ein Speicher, ein Back- oder Brennhäuschen, eine Mühle, ein Häuschen für den Altbauern, ein „Leibgedinghäusle“, ferner eine oder mehrere Viehhütten oder ein Berghäusle, schließlich eine Sägemühle und eine Kapelle. Das Ganze umfaßt, zusammen mit dem grünen Wies- und dem buntstreifigen Feld-Grasland inmitten dunkler Wälder, alles bildhaft, was als schwarzwälderisch gelten darf. Es ist das wohldurchdachte Werk des stolzen, selbstbewußten Schwarzwaldbauern; Äcker, Wiesen, Weide und Wald in Ruf- und Sehweite — „Wun und Wayd, Trib und Tratt“, wie es in den alten Güterverzeichnissen heißt, gehören dem „Lebsitzer“, dem Lehensbesitzer, d. h. dem Bauern.
Jeder Hof führt einen Namen. Die Namen haften am Haus und wechseln nicht mit dem Besitzer. Der Name des heutigen Bauern stimmt daher zumeist nicht mit dem Hofnamen überein. Der Hofname lebt im Volk, und daher ist in der weiteren Umgebung nur der Hofname, selten der Name des Bauern bekannt. Die größte Gruppe der Hofnamen geht auf Vor- und Eigennamen zurück, z. B. Hanselehof, Urbanshof, Reesenhof, Zipfelhof usw. Eine andere bezeichnet die Lage des Hofes innerhalb der Gemeinde, wie Vorderer und Hinterer Bauer, Kirchlebauer, Kapellenhöfe usw. Wieder eine andere charakterisiert den Standort des Hofes, so der Rankhof, Haldenhof, Steighof, Platthof usw. Auch die Geschichte des Bauerngutes kann ihren Niederschlag im Hofnamen gefunden haben, z. B. Ladhof, Hubhof, Neubauernhof usw. Daneben spiegeln die Hofnamen gelegentlich ein Stück Wirtschaftsgeschichte, wenn sie eine besondere wirtschaftliche oder handwerkliche Tätigkeit eines dereinstigen Besitzers verraten, wie etwa die Schaf-, Schmied-, Glas- und Metzgerhöfe. Selbst hervorragende körperliche Merkmale früherer Bauern haben zu Hofbezeichnungen geführt. So erhielt der Blindenhof in Schönwald-Schwarzenbach von einem blinden Bauern, der den Hof in der ersten Hälfte des 18. Jahrhunderts bewirtschaftete, seinen Namen.
Die psychologischen Rückwirkungen der geschilderten Verhältnisse sind ein starkes Selbstbewußtsein, Sinn für persönliche Unabhängigkeit, ausgeprägtes Rechtsgefühl und eine Empfindlichkeit gegen alle Einmischungen von außen.

Zierat und Schmuckformen

Gemäß der herben Landesnatur, die mit ihren reichen Niederschlägen und ihren kargen Böden den Wäldlern nur ein hartes Leben gewähren kann, und entsprechend dem verschlossenen, mißtrauischen Sinn des abseits lebenden Einzelhofbauern, ist der Schmuck der Schwarzwaldhäuser bescheiden. Genauer betrachtet ist er zumeist hintergründig, denn er besteht zum größten Teil aus alten Symbolen, die dem Hof und seinen Bewohnern Segen bringen und Unheil abwehren sollen.

Die wenigen Nurschmuckformen sind mit dem üblichen Handwerkszeug aus dem Holz gewonnen. Die daraus entspringende Abgestimmtheit von handwerklicher Bearbeitung und Werkstoff wirkt besonders ansprechend und macht diese Zierglieder anziehend und lebendig. Zu ihnen gehören die Türstürze in der Form der spätgotischen „Eselsrücken", die gebrochenen Kanten des Fensterbandes, die Halbrundstäbe, Spiegel und Andreaskreuze auf den Bügen — Büge sind kurze schräg gestellte Hölzer, welche die Enden der Dachbalken und der vor die Hausflucht vorspringenden Längshölzer unterstützen —, die „geschnürten Büge" und Hängesäulen der Gänge, bei denen ein gedrehtes Seil durch einen kompliziert aussehenden, aber sehr einfachen Hieb- oder Sägeschnitt nachgeahmt wird, und die Sterne, welche die Eckpfosten der Speicherumgänge krönen.

Weitere Objekte der Schmuckfreudigkeit sind die Kammern und der äußere Gang, die mit schwarz oder rot aufgemalten Würfel- und Linienzügen — vielfach Rautenfriese — belebt sind.

Als Schmuckglieder sind auch die Hausinschriften zu betrachten. Sie bezeugen die christliche Gesinnung und das Selbstgefühl der Bauern. Dieser Zierat beinhaltet ein religiöses Anliegen, die Baudaten in römischen und arabischen Ziffern, die Namen des Bauherrn und des Zimmermanns, der das Haus erstellt hat, sowie eine Lebensweisheit, wobei der Humor manchmal zu Wort kommt. Von der Mitte des 18. Jahrhunderts ab erscheinen mit den Hausinschriften vielfach die Monogramme von Jesus und Maria. Diese Spruchinschriften haben damit die doppelte Aufgabe, zu schützen und zu schmücken.

Die Hausinschriften sind über dem Sturz der Haustür, auf dem Eckbug oder auf einem der Büge oberhalb der Tür, im Obergeschoß, die auf den Gang führt, ferner auf der Ecksäule mit dem Stechbeitel eingeschnitten oder mit Fett und Ruß aufgemalt. Bei den Kinzigtäler Häusern sind die Inschriften vielfach auf dem oberen Quader der Ecke des gemauerten Untergeschosses eingemeißelt.

Gelegentlich stößt der Beschauer ferner auf Darstellungen von Pflugeisen und im südlichen Schwarzwald, in dem die Bauern keine Hausmahlmühlen gekannt haben und daher auf eine Kundenmühle angewiesen waren, von Mühlrädern.

Am häufigsten finden sich jedoch an und in den Schwarzwaldhäusern magische Zeichen. Ihrer Herkunft nach sind drei Gruppen zu unterscheiden:

a) Die vorchristlichen Heilszeichen. Sie bekunden die Wünsche nach Fruchtbarkeit, Ernte- und Kindersegen. Zu ihnen gehören der Sechsstern, das Sonnenrad, die Doppelwendel, die Raute, der Lebensbaum in der Form von Fichtenzweigen und Blumen, das Herz, das liegende Kreuz (Malzeichen oder Andreaskreuz) und das Rautenfeld.

Vielleicht zählen zu dieser Gruppe auch die Menschen- und Tiergestalten, die in die Tennbretter eingeritzt sind.

b) Christliche Symbole. Von ihnen erwartete der Schwarzwälder eine segnende Wirkung. Diese Gattung vertreten das Kreuz, der Kelch und im Barock, der Hochblüte der Initialen, die sogenannten Monogramme von Jesus und Maria sowie die Anfangsbuchstaben der Heiligen Drei Könige C—M—B. Die ursprüngliche Bedeutung dürfte gewesen sein: „Christus mausionem benedicat — Christus möge die Wohnung segnen."

c) Abwehrzeichen. Sie scheinen in der Vorstellungswelt der Wäldler eine große Rolle gespielt zu haben, denn auf die Tenntore, die Tennbretter und in geringem Umfang auch auf die

Ritzzeichnung auf einem Tennbrett mit Schrättelefüßen, Herz, Doppelwendel, Malkreuzen, Hirsch und gerauteten Kirchen.

Illustrations engraved into partition board showing pagan symbols, heart, double spirals, crosses, deer, rhomboid church towers.

„Eselsrücken“ mit Hausinschrift. Reesenhof, Zarten.

Saddle-shaped arch with inscription. Farmstead in Zarten.

Stubenwände der Bauernhöfe sind solche Zeichen eingeritzt. Es sind Linienzüge, die mit Zacken enden, zumeist Fünf-, Sieben-, Acht- und Neunspitzen. Sie waren schon in der Antike gebräuchlich. Das Wissen um ihre Bedeutung ist noch heute im Schwarzwald lebendig; vor allem der „Schrättelefuß“, das bekannte Pentagramm, wird noch zur Stunde gelegentlich versteckt, irgendwo im Hause angeschrieben oder eingeritzt. Man glaubt damit das „Schrättele“ abzuwehren, ein böses Etwas, das Alpdrücken verursacht und den Wöchnerinnen zusetzt. Ein derartiges Ritzzeichen ist auch der „Hexenknochen“, gegen den schon Bonifatius gewettert hat.

Ein magisches Mittel ist ferner das Satorquadrat, das bereits im ersten christlichen Jahrhundert auftritt. Liest man diese rätselhafte Zauberformel von links oben nach rechts und nach unten, von rechts unten nach links und nach oben, so ergibt sich immer SATOR. Liest man dieses Wort rückwärts, dann erhält man ROTAS. Das Wort AREPO in der zweiten Zeile rückwärts ergibt OPERA und OPERA in der zweitletzten Linie wiederum, in umgekehrter Richtung gelesen, AREPO. Das Wort TENET aber in den Mittelachsen des Quadrates liest sich vor- und rückwärts, ab- und aufwärts gleich; die beiden TENET bilden das christliche Heilszeichen, das Kreuz, um das sich die anderen Buchstaben gruppieren.

Auch die mumifizierten Ochsen- und Pferdeschädel, die bei der Errichtung des Hauses unter den Firsten aufgehängt wurden und die noch heute Krankheiten, Seuchen und Blitzschlag vom Hause fernhalten sollen, gehören in diesen Zusammenhang. An die Stelle des „Schrättelefußes“, des Pentagramms, tritt bei den Kinzigtäler Häusern eine Fratze, die das „Schrecksle“ abhalten soll. Diese Schreckköpfe sind in der Renaissance ein Schmuckelement, das aber hier unzweifelhaft als Abwehrzeichen benutzt wird. In der daseinsfreudigen Barockzeit übernehmen Engelköpfe diese Aufgabe.

Im Bereich des Kinzigtäler und des Gutacher Hauses sind des weiteren Hofzeichen üblich gewesen, die den Abwehrzeichen sehr ähneln, mit diesen aber nicht verwechselt werden dürfen. Sie sind von den Bauern dieser Hausregionen als Siegelzeichen benutzt, am Haus als Besitzzeichen angebracht worden und kennzeichnen noch heute die Ackergeräte und die gefällten Baumstämme ihres Eigentümers.

Das Schwarzwälder „Heidenhaus"

Es ist die älteste Hausform des Schwarzwaldes. Sie entstand im Bereich des Hochschwarzwaldes, in einem Landstrich der Klimaungunst, und ist ganz auf die Bedürfnisse des Viehzüchters zugeschnitten.

Die „Heidenhäuser" sind leicht zu erkennen an ihrer Stellung im Gelände und an der Gestaltung der Eingangslangseite. Der First und damit die Längsrichtung des Hauses verlaufen mit der Fall-Linie des Hanges. Das Haus ragt dadurch etwas ins Tal hinaus, wobei die Stallung vorn dem Tal und damit dem Beschauer und der Wohnteil der wärmehaltenden Bergseite zugewandt sind. Wohnteil und Stallung werden durch den Hausgang mit der Haustür, der von einer Langseite zur anderen das Haus querfirstig durchläuft, voneinander getrennt. Die Eingangslangseite ist immer nach der Sonne gerichtet, also nach Süden oder Westen. Die Bodenaufteilung des Wohnteils ist zweiraumbreit. An der Eingangslangseite liegt die Stube, und hinter ihr ist die Küche angeordnet. Der Stall wird durch einen Futtergang in zwei Hälften geteilt. Der Stall ist sehr nieder, denn er wurde für die kleinste Rinderrasse Europas, das Hinterwälder Vieh, das seinerzeit im Schwarzwald gehalten wurde, gebaut. Vor dem Stall steht der Brunnen mit dem Tränktrog und dem Milchhäusle. Nach der Talseite ist der Stall mit einem mächtigen Vollwalm – eine große dreieckige Dachfläche – abgedeckt. Die „Heidenhäuser" sind zweigeschossig, eine bemerkenswerte Sonderheit, da die Bauernhäuser des 16. Jahrhunderts im deutschen Sprachgebiet eingeschossig waren. Über der Stube befindet sich im Obergeschoß die Schlafkammer der Bauersleute. Die Küche geht durch beide Geschosse hindurch bis unter den Dachboden. Parallel mit dem Hausgang verläuft im Obergeschoß ein gleichbreiter Gang, der obere Hausgang. Vom Hausgang aus führt eine Treppe in den oberen Hausgang, und von hier leitet eine weitere Treppe ins Dachgeschoß. Über dem Stall mit dem Futtergang liegt auf gleicher Höhe wie der obere Hausgang die Heubühne. An der Eingangslangseite sind in diese Heubühne Kammern für das Gesinde eingebaut. Diese Kammern sind vom oberen Hausgang aus durch eine Außentür, die oberhalb der Haustür angeordnet ist, über einen Gang an der Eingangslangseite betretbar. Dieser Gang ist wiederum für die „Heidenhäuser" bezeichnend.

Im Dachgeschoß liegt über dem Wohnteil der Wirtschaftsplatz, in den über die Hocheinfahrt durch ein Tor eingefahren werden kann. Von diesem Wirtschaftsboden führt eine Brücke über den Heuboden hinweg unter den Walm über der Stirnseite des Hauses. Diese Brücke ist zwischen die Firsthochsäulen und die Hochsäulen, die unter den Dachpfetten stehen, eingespannt. Rechts und links dieser Brücke öffnet sich nach unten die tiefergelegene Heubühne. Von dieser Brücke aus werden die Heuwagen in die Heubühne entladen. Die meisten Brücken erhielten im 17. Jahrhundert Wände, weil der zunehmende Brotverbrauch ihre Ausgestaltung zu Dreschtennen notwendig machte. Durch ein Loch im Boden der Heubühne über dem Futtergang wird der Stall mit Heu beschickt.

Im Dachgeschoß wird der Blick des Beschauers sofort gefesselt durch die Raumwirkung in Verbindung mit den mächtigen Säulen des Hausgerüstes, die gleichsam aus dem Boden wachsen, um hier oben das gewaltige Dach aufzunehmen. Bald jedoch ordnen sich die Eindrücke, und das innere Wesen dieser Bauart offenbart sich. Der Betrachter begreift die Mittel und bewundert zugleich die Kunst, mit der hier in einem Landstrich der Klimaungunst mit ihren ungewöhnlich großen Belastungen in nachmittelalterlichen Zeiten derart große Hausgerüste erstellt worden sind. Die Bewunderung der technischen Leistung wird noch vertieft, wenn man erfährt, daß zum Bau eines „Heidenhauses" von mittlerer Größe rund 1000 Festmeter Rundholz, das sind etwa 275 Stämme mit je 3,5 Festmetern, verarbeitet worden sind.

Das Fällen und Zurichten des Holzes erfolgte mit der denkbar größten Sorgfalt. Mondphasen, Erdnähe, die dem Kalender entnommen wurden, und bestimmte Tage fanden Berücksichtigung. Immer mußte das Holz zwischen Michaelis (29. September) und Hornung (Februar) bei abnehmendem Mond, im „Wädel", gehauen werden.

Beim Hausgerüst der „Heidenhäuser" sind die kräftigen Säulen die wichtigsten Glieder. Sie fußen auf einem Schwellenkranz, auch eine Merkwürdigkeit, denn Schwellen im Hausbau waren in den Zeiten der Hochblüte der „Heidenhäuser" durchaus nicht üblich. Im Querschnitt gesehen, begrenzen zunächst Wandsäulen das Haus nach außen. Dann folgen beidseitig Säulen, die bis unter das Dach reichen, unter dem sie je ein Längsholz, eine Dachpfette, tragen, und in der Mitte des Hauses stehen die Firsthochsäulen, die oben den Firstbaum aufnehmen. Diese Säulen bilden zugleich das Gerippe für die Außen- und Innenwände des Hauses; Haus- und Dachgerüst sind damit eine konstruktive Einheit. Über den Dachpfetten und dem Firstbaum, die parallel miteinander laufen, hängen in großen Abständen die Rafen, heute Sparren genannt. Darauf sind die Latten mit Holznägeln befestigt, welche die Deckung tragen, die, je nach der Örtlichkeit, aus Stroh oder Schindeln, neuerdings auch aus Eternitplatten oder Ziegeln besteht. Die Firsthochsäulen bedingen eine außermittige Erschließung des Dachraumes. Das Einfahrtstor liegt daher nicht in der Mitte des rückwärtigen Walmes. Diese außermittige Einfahrt ist eine weitere Eigenart der Hochsäulenhäuser.

In dieser Bauart der Firstsäulen-(Hochsäulen-)Bauweise haben wir eine alteuropäische Zimmerung vor uns. Die Säulen gelten heute noch als ehrwürdig. An der Stall-Firsthochsäule hing früher, zum Teil auch heute noch, ein Ochsenschädel. Nach der Überlieferung soll es der Schädel eines der Zugtiere gewesen sein, die das Holz zum Bau des Hauses beigekarrt haben. Am Tage des Aufrichtens ist es geschlachtet und sein Kopf unter den Firstbaum gehängt worden. Dort soll dieser inzwischen mumifizierte Schädel Seuchen, Blitzschläge und Unglücksfälle vom Hause fernhalten.

Die Ausstattung des „Heidenhauses" ist bescheiden. Einfach wie die Lebensweise der Wäldler sind ihre Hausgeräte. Überall erblickt man Genügsamkeit und keine Wohlhabenheit. In der niederen, aber sehr geräumigen Wohnstube mit der vom „Sohlbaum" getragenen dunklen Holzecke steht in der Ecke, in der das Fensterband mit der Schmalseite des Hauses zusammentrifft, der Tisch. Die Ecke dieses Winkels, des „Herrgottswinkels", wird begrenzt durch die „Herrgottssäule", in der eine dem Sakramentshäuschen der gotischen Kirchen nachgebildete Nische eingelassen ist, die eine Muttergottes-Statue birgt. Über dieser Nische hängt ein Kruzifix mit einem Rosenkranz oder mit einigen Zweigen des am Palmsonntag geweihten Palmbusches, der aus wintergrünen Pflanzen — Stechpalmen, Buchs,

Verzapfung des Schwellenkranzes.
Tenon jointing of pole plate system.

Hippenseppenhof (1599) im Freilichtmuseum Gutach.

Farmstead of 1599, Gutach open-air museum

Eibe und dgl. – besteht und der das Haus und seine Bewohner vor Unheil schützen soll. Im „Herrgottswinkel“ hängen des weiteren Heiligenbilder, früher in Schwarzwälder Hinterglasmalerei, Soldaten- und Familienbilder. Die nächste Wandsäule in der Außenwand, die das Fensterband am anderen Ende begrenzt und zugleich die Ecksäule der Stube bildet, enthält zumeist eine weitere Nische. In ihr hängt zuweilen heute noch ein Hufeisen, das mit seiner Größe und Form in frühere Jahrhunderte weist. In den meisten Höfen ist diese Nische nunmehr geschlossen, und die heutigen Besitzer wissen oder wollen hiervon nichts mehr wissen, denn von der Welt der magischen Zeichen spricht der Schwarzwälder nicht gern. Dem „Herrgottswinkel“ schräg gegenüber steht in der anderen Ecke der große Kachelofen mit der angebauten „Kunst“. Die „Kunst“ ist ein Nebenofen, mit ein oder zwei Bänken, die im letzteren Fall treppenartig übereinander angeordnet sind. Sie wird von den Abgasen des Küchenherdes geheizt. Der Kachelofen wird oben umlaufen vom Ofenstängle, über dem die Kleider getrocknet werden, und unten von der Ofenbank. In der inneren Ecke der Stube steht der Stegenkasten mit einer Treppe, die in die darüberliegende Schlafkammer der Bauersleute führt. Zwischen Stegenkasten und Ofen befindet sich eine Durchreiche nach der Küche.

Die Küchen waren bis in unser Jahrhundert hinein schwarz und dunkel, denn sie kannten keine Schornsteine. Ein gewaltiger Rauchfang aus Flechtwerk fing den Rauch auf und leitete ihn nach dem Erkalten ins Dachgeschoß. Zugleich diente der Rauchfang zum Räuchern der Speckseiten und der Würste. Unter dem Rauchfang standen ursprünglich steinerne Tischherde, die gelegentlich noch zu finden sind. Sie wurden zunächst durch gemauerte Sparherde, bei denen das Feuer umwandet und mit einer Herdplatte mit Kochlöchern abgedeckt ist, ersetzt, um dann den transportablen Küchenherden aus Metall zu weichen. Für das Küchengeschirr kannte man nur Gestelle, denn Küchenmöbel waren bis in das letzte Jahrhundert unbekannt. Die Küchen sind daher heute uninteressant.

Auch die Schlafkammern der Bauersleute und die Kammern für das Gesinde sind heute weithin modernisiert worden. Nur vereinzelt wird der Besucher des Schwarzwaldes noch meist bemalte Himmelbetten, Kästen und Truhen finden, die bis in die siebziger Jahre des letzten Jahrhunderts üblich waren.

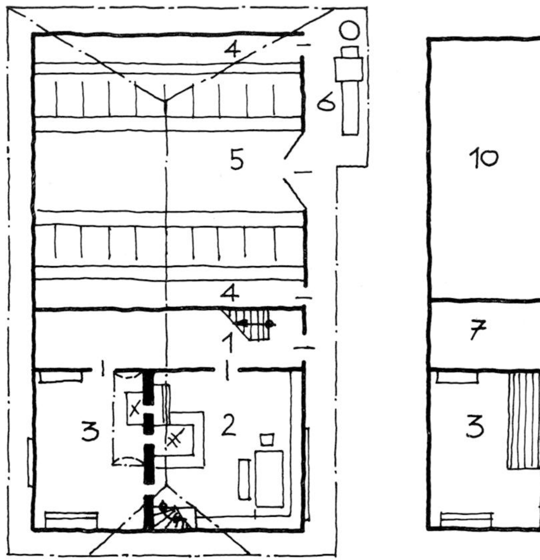

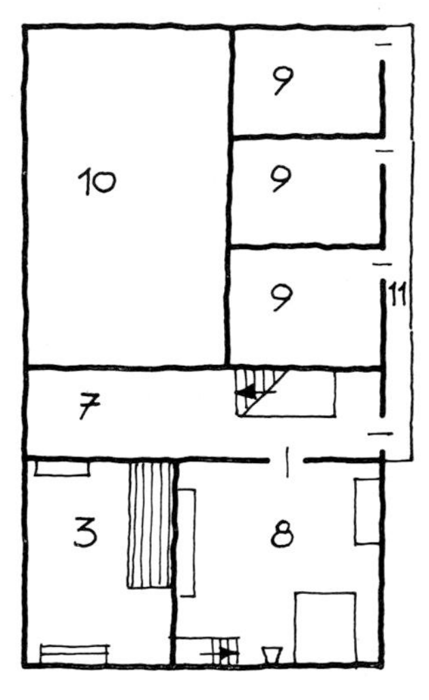

Heidenhaus

Raumaufteilung des Erd- und Obergeschosses: 1 Unterer Hausgang, 2 Stube, 3 Küche, 4 Stall, 5 Futtergang, 6 Brunnen mit Milchhäusle, 7 Oberer Hausgang, 8 Schlafkammer, 9 Kammer, 10 Heuboden („Heukreuze“), 11 Gang (3 Küche, die durch beide Geschosse geht).

"Heidenhaus" homestead.

Layout of rooms in ground and upper floors: 1 Lower hallway, 2 Living room, 3 Kitchen, 4 Stable, 5 Feeding passage, 6 Water well with milk pantry, 7 Upper hallway, 8 Bedroom, 9 Small rooms, 10 Hayloft, 11 Passage, 3 Kitchen extending through two floors.

Hof in Oberroturach (Kreis Breisgau-Hochschwarzwald)

Farmstead at Oberroturach (Breisgau, Black Forest), built about 1650 A. D.

Unterer Gschwenghof, um 1600, Neukirch bei Gütenbach.
Farmstead, built about 1600 A. D., Neukirch near Guetenbach.

Sägenmattishof von 1560, Vord. Schützenbach bei Furtwangen.
Farmyard, about 1600 A. D., Vord. Schuetzenbach, near Furtwangen

Willmershof von 1673, Schwärzenbach (Kreis Breisgau-Hochschwarzwald)

Farmyard of 1673 A. D., Schwaerzenbach (Breisgau, Black Forest)

Jocklehof, 17. Jh., Rohrbach (Kreis Schwarzwald-Baar)

Farmyard, 17th century, Rohrbach (Baar region, Black Forest)

Walm mit außermittiger Hocheinfahrt, Rüttehof von 1574,
Schwärzenbach (Kreis Breisgau-Hochschwarzwald)

House with hip roof, in ramp built off-center,
farmyard of 1574 A. D., Schwaerzenbach (Breisgau, Black Forest)

Das „Jüngere Heidenhaus"

Gegen Ende des 16. Jahrhunderts ist das „Heidenhaus" um 180 Grad gedreht und zugleich nach der Höhe und der Breite hin vergrößert worden. Der Wohnteil drückt sich nunmehr nicht mehr schutzsuchend an den Hang, sondern er schaut mit seinen klein geteilten, zahlreichen Fenstern ins Tal, und der Wirtschaftsteil liegt an der Berglehne. Außerdem wurden die Häuser auch vielfach quer zum Hang gestellt; dabei ist aus der Längseinfahrt eine Quereinfahrt geworden, die eines kleinen Dachausbaues, einer „Wiederkehr", bedarf. Es sind daher zwei Formen dieses Haustypus zu beachten. Gewonnen haben hierbei die Stube mit dem „Herrgottswinkel" und die Küche, die nunmehr, da die Bodenaufteilung beibehalten wurde, an zwei Außenwände rücken und so von beiden Seiten Licht erhalten. Statt einem Fensterband auf der Eingangslangseite des Hauses schmücken jetzt zwei Reihen gekoppelter Fenster, der „alemannische Fenstererker", die Hausecke. Das Erdgeschoß hat des weiteren einen Raum zusätzlich erhalten. Zwischen Hausgang und Stall schiebt sich noch eine Tenne. Sie ist als Dreschtenne notwendig geworden, da der Anbau von Brotgetreide seit dem 16. Jahrhundert ständig zugenommen hat. Das damit anfallende Stroh wird von da ab auf dem oberen Dachboden, der hierzu mit Brettern belegt worden ist, untergebracht. Auch die vom Geist der Vorzeit umwitterte Hochsäulen-(Firstsäulen-)bauweise ist zum Teil umgestaltet worden. Über dem Wohnteil wurden die ehrwürdigen Hochsäulen durch liegende Binder ersetzt, wodurch der Wirtschaftsraum im Dachgeschoß frei von Säulen wurde, welche die Bewegungsfreiheit hier einschränkten. Zur Ausstattung der Räume ist nichts zu sagen; sie ist durch die Jahrhunderte hindurch — von den meist wenig erfreulichen Neuerungen abgesehen — gleichgeblieben.

Sohlhof von 1783, Kappel bei Freiburg.

Farmyard of 1783, Kappel near Freiburg

Kienzlerhansenhof (Gemeindehof) von 1591, mit ganz auf die Seite gerückter Hocheinfahrt, Schönwald-Oberort.

Community farmyard, built 1591, with high gateway Schoenwald-Oberort

Dachboden mit Hochsäulen und „Fahr“.
Hippenseppenhof von 1599, Freilichtmuseum Gutach.

Roof space, with high posts and room for vehicles (1599)

Firsthochsäule mit Ochsenschädel.
Hippenseppenhof, Freilichtmuseum Gutach.

High king post with bull skull. Gutach open-air museum.

Hippenseppenhof mit zweigeteilter Tür und alemannischem Fensterband, über dem Fensterband Keilbohle („Schub").
Freilichtmuseum Gutach.

"Hippenseppenhof" farmhouse, with bipartite door, with Alemannic window facing and wedge-shaped planks above it
Gutach open-air museum

Küche mit steinernem Tischherd, Rauchfang, Durchreiche zur Stube
und Feuerloch für den Kachelofen.
Hippenseppenhof, Freilichtmuseum Gutach.

Kitchen with flat open hearth, with smoke chimney,
serving hatch opening to living room, vent outlet for tiled stove
"Hippenseppenhof" farmyard, Gutach open-air museum

Stube mit Herrgottswinkel und alemannischem Fensterband.
Hippenseppenhof, Freilichtmuseum Gutach.

„God's Corner" and Alemannic window facing
Farmyard in Gutach open-air museum

Schlafkammer des Hippenseppenhofes. Freilichtmuseum Gutach.

Bedroom in farmhouse. Gutach open-air museum

Das Kinzigtäler Haus

Im Einzugsgebiet der Kinzig, Rench, Acher und teilweise der Schutter hat sich mit dem Anerbenrecht, dem Schwarzwälder Hofrecht, der Einzelhof auf geschlossener eigener Feldflur erhalten. Dabei erzwang die Enge der Täler die Aufreihung der Hofstellen in langen Ketten den Talgründen entlang. Die Markung ist hierbei in parallele Streifen abgeteilt worden, die ursprünglich vom Wald auf der Höhe durch den Bachgrund auf die gegenüberliegende Talseite wieder bis zum obenstehenden Wald emporzogen. Die Höfe selbst sind an die Talsohlen und Talschultern gebunden. Sie liegen, wie die Höfe im Hochschwarzwald, an der Grenze der Wässerwiesen mit ihren Firsten parallel zum Gefälle des Hanges, an den sie sich mit ihrem rückwärtigen Teil anlehnen. Hofabwärts in die feuchten Talgründe erstrecken sich die wässerbaren Wiesen, die Matten. Um das Haus liegen die zahlreichen Daueräcker, denn die mildere Lage ergibt günstigere Verhältnisse für den Feldbau und ermöglicht einen bedeutenden Obstbau. Das berühmte Schwarzwälder Kirschwasser ist hier beheimatet. Auf die Daueräcker folgt hangaufwärts der mit Ginster und Buschwerk bestandene Weidberg. Er leitet oben zum Wald über, der sich oft in großer Tiefe über die Kämme längs der Bachläufe erstreckt. Diesem Wald kommt hier eine sehr große wirtschaftliche Bedeutung zu; er ermöglicht erhebliche Einkünfte und hat deshalb mit der Einführung der Stallfütterung die Weidbergwirtschaft verdrängt. Die kahlen Kuppen, die Weidberge, fehlen daher im Landschaftsbild. In den Gebieten, in denen die engen Täler keinen Raum mehr für die Siedlungen boten, hat sich der Mensch auf den einsamen Rücken zwischen den Wasserläufen niedergelassen, wobei mit Bedacht die wärmeren sonnseitigen Hänge bevorzugt worden sind. Auch hier hat der Wald, aus den obengenannten Gründen, die Weidberge verdrängt, so daß sich heute die Siedlungen wie Rodungsinseln inmitten der Wälder ausnehmen.

Mit den in Straßburg und in den Vorlanden erzielten Erträgen aus den Holz-, Harz-, Vieh- und Schnapsverkäufen kamen auch städtische Anregungen ins Land, die u. a. auch dem Hausbau zugute kamen. Dazu kommt, daß das Kinzigtal bis zum Beginn des 19. Jahrhunderts zu dem Bistum Straßburg gehörte und damit bis in unser Jahrhundert hinein ein Vorland des Elsaß gewesen ist.

Die sich daraus ergebenden linksrheinischen Einflüsse, der kulturelle Reichtum der Vorlande, die vielseitige Wirtschaft und nicht zuletzt die Modeströmungen der hohen Kunst, die mit der ausklingenden Gotik rheinaufwärts drangen, ließen ein prachtvolles Bauernhaus entstehen, das womöglich noch das benachbarte Gutacher Haus an Schönheit übertrifft.

Es ist auch wieder ein Eindachhaus, das Wohn- und Wirtschaftsräume unter einem Dach birgt. Dieses Eindachhaus ist aber, im Gegensatz zu allen übrigen Schwarzwaldhäusern, gestelzt, d. h. es hat ein steinernes Untergeschoß und ist eingeschossig. In dem hierdurch bedingten farbigen Gegensatz zwischen diesem Untergeschoß und dem hölzernen Obergeschoß mit der asymmetrisch angeordneten Laube, die aus dem Elsaß ins Kinzig- und Renchtal gewandert ist, der starken, spätgotischen räumlichen Gliederung, dem mächtigen Halbwalm und dem in allen Tönen vom hellen Gelb bis zum Moosgrün und Dunkelbraun schillernden Strohdach — soweit es noch ein solches besitzt — liegt seine Schönheit begründet.

Der Aufbau dieses Haustyps verrät einen anderen Baugedanken, der wiederum spätgotisch ist. Haus- und Dachgerüst sind zwei getrennte Baueinheiten; das Dachwerk ist unabhängig von dem darunterstehenden Hauskörper. Es zeigt einen freien Dachraum. Die Hochsäulen unter dem First sind herausgenommen, und die seitlichen Säulen, die unter den Dachpfetten stehen, sind mit ihren Fußpunkten unter die Dachdeckung geschwenkt. Dadurch ist der „liegende Stuhl" entstanden, wie dieses Dachwerk in der Fachsprache heißt. Nur noch der Firstbaum und die über ihn und die Dachpfetten hängenden Dachhölzer, die Rafen, erinnern noch an die alte Firstsäulen-(Hochsäulen-)Bauweise.

Der Hauskörper besteht aus dem Wohnteil und dem Wirtschaftsteil, aus „Haus und Scheuer", wie man hierzulande sagt.

Metzgerhof von 1550, über dem Fensterband die Nußbühne
Ippichen/Kinzigtal.

Farmstead built in 1550 A. D., with storage loft for nuts above window ledge. Ippich, Kinzig valley

Nur über dem „Haus“ liegt ein Dachgebälk und damit ein Dachboden, der gleich den „Heidenhäusern“ die Rolle des Wirtschaftshofes bei den Gehöften in der Rheinebene übernimmt. Der Wirtschaftsteil, die „Scheuer“, erstreckt sich vom Erdboden bis unter das Dach. Eine Brücke führt auch bei diesem Haustyp von dem Hang, an den sich das Haus lehnt, durch die ungeteilte „Scheuer“ auf den Dachboden. In der „Scheuer“ wird das Heu vom Erdboden bis unter das Dach gestapelt. Die Erntebergung erfolgt also, im Unterschied zu allen anderen Schwarzwaldhäusern, erdlastig. Auf einer weiten Bühne über dem Dachboden, unmittelbar unter dem First, wird das Stroh untergebracht. Der Dachraum springt an der Stirnseite des Hauses vor und ist mit einem Halbwalm abgedeckt.
Der Hauskörper wird von weit gestellten Wandsäulen, deren Felder in der bereits beschriebenen Art mit Bohlen, Vierkanthölzern und Brettern ausgefacht sind, umwandet. Hierbei entstand auch bei dieser Hausart der schöne „alemannische Fenstererker“. Der Wohnteil, das „Haus“, ist sorgfältiger abgezimmert als die „Scheuer“.
Das „Haus“ baut sich auf einem steinernen Untergeschoß auf, das in der Regel den Stall enthält. Der Stall wird wiederum durch einen Futtergang in zwei Hälften geteilt. Die Zugänge zu den zwei Stallhälften und dem Futtergang befinden sich in der Stirnwand des Sockelgeschosses. Die Umrahmungen der Türen und der Fenster sowie die Ecken dieses Geschosses sind aus aufwendig bearbeiteten Sandsteinen gestaltet. Auf dem Sturz über dem Futtergang und auf den schön bossierten Eckquadern sind das Erstellungsdatum, das Hauszeichen, Heils- und Berufszeichen und der Schreckkopf, das Abwehrzeichen gegen Unholde, eingemeißelt.
Über dem Stall liegt eine Balkenlage quer zur Firstrichtung des Hauses. Auf der Schmalseite sind in diese Balkenlage und winkelrecht zu ihr kurze Balkenstücke eingezapft, so daß der Wohnteil sehr oft etwas vor die Mauerflucht der Stirnseite des Hauses vorspringt. Das Gebälk ist mit einem Dielenboden belegt, der zugleich die Stalldecke bildet. Auf diesem Dielenboden stehen unmittelbar die Eck- und Wandsäulen; im Unterschied zu den Abzimmerungen der Heidenhäuser, des Schauinslandhauses, des Hotzen- und des Zartener Hauses fehlt hier der Schwellenkranz. Die Wandfelder werden unten durch Fußriegel geschlossen, die in die Säulen eingezapft sind. Diese Zimmerungsweise, die mittelalterlich ist, hat sich in den alemannischen Landen bis in das letzte Jahrhundert hinein gehalten; sie wird daher, nicht ganz zu Recht, als „alemannisch“ bezeichnet.
Und noch eine Merkwürdigkeit zeichnet diesen Haustyp aus, die ihn von allen anderen Schwarzwälder Häuser unterscheidet. Zwischen die Decken der Stube und der Schlafkammer, die an der Stirnseite des Hauses liegen, und dem Dachgebälk schiebt sich ein niederer Hohlraum, eine Art Zwischenbühne, die nach außen und nach dem Hausgang zu offen geblieben ist. Diese Bühne, über die zum Teil der Rauch der Küche abzieht, ist verschieden genutzt worden. Auf ihr lagerten die Nüsse, die in diesem Landstrich in großem Ausmaß angepflanzt wurden. Sie wird daher, neben „Rauchbühne“, „Nußbühne“ genannt. Vielfach dient sie auch zum Aufbewahren der leichteren Ackergeräte. Diese „Stuben-“, „Nuß-“ oder „Rauchbühne“ ist nichts anderes als der Halbstock des mittelbadischen Kniestockhauses, der von den Siedlern mitgebracht worden ist. Selbstverständlich ist diese Herkunft den Bauern nie bewußt gewesen, und wie es keine Nüsse mehr zum Trocknen und Aufbewahren gab und der Rauch durch die inzwischen erstellten Schornsteine abzog, sind diese Zwischenbühnen verbrettert oder gar herausgerissen worden, so daß der Betrachter ihr früheres Vorhandensein nur bei näherem Zusehen erkennt. Leider sind mit ihrem Abkommen auch die unter ihnen liegenden gewölbten Stubendecken, über die nachher noch etwas zu sagen sein wird, verschwunden.
Mit der Raumaufteilung des Wohn- und Wirtschaftsteiles unterscheidet sich diese Hausform des weiteren von den übrigen Schwarzwaldhäusern. Die Höhe des Untergeschosses mit dem Stall wird durch eine Treppe überwunden, die zumeist an der Süd- oder Westseite des Hauses angelegt ist. Sie endet auf einem schmalen Vorplatz, der aus dem gewachsenen Erdreich

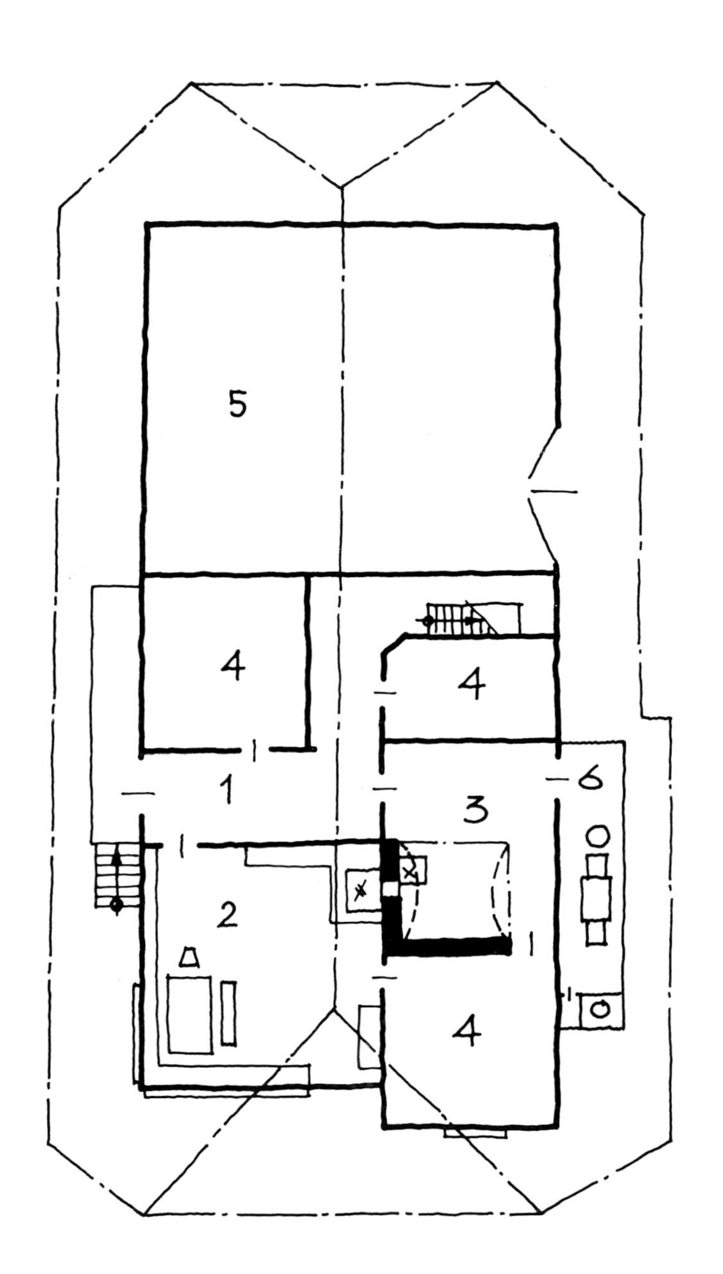

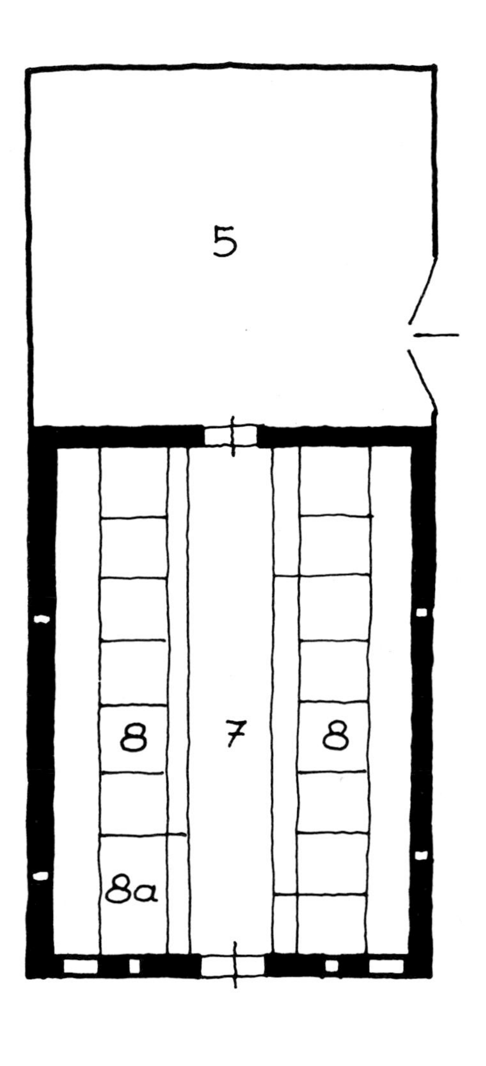

Wohn- und Sockelgeschoß: 1 Hausgang, 2 Stube, 3 Küche, 4 Kammer, 5 Scheuer, 6 Gang mit Brunnen, Milchhäusle und Abort, 7 Futtergang, 8 Stall, 8a Pferdeboxe.

Base floor with living rooms: 1 Entrance hall, 2 Living room, 3 Kitchen, 4 Bedroom, 5 Barn, 6 Side corridor with well, milk pantry and closet, 7 Feeding passage, 8 Stable, 8a Horse box

oder aus Holz gestaltet ist. Auf ihm stehen der Hofbrunnen mit dem Tränktrog und dem Milchhäusle. Von diesem Vorplatz gelangt der Besucher durch die Haustür, die wiederum zweigeteilt ist, in den Hausgang, der in der Hausmitte in der Richtung auf die Bergseite abknickt und sich in der Firstrichtung bis zum Wirtschaftsteil fortsetzt. An seinem Ende befindet sich eine Tür, durch die man in die „Scheuer" tritt. Rechts und links des Ganges befinden sich Kammern für die Kinder und das Gesinde. In der Fortsetzung der anfänglichen Richtung des Ganges liegt die Küche, deren Türe am Knickpunkt des Hausganges angeordnet ist. Längs der Stirnseite des Hauses befinden sich die Stube und die Schlafkammer der Bauersleute. In die Stube kommt der Besucher vom Hausgang aus, während die Schlafkammer nur durch die Stube betreten werden kann. Die Schlafkammer ist kleiner als die Stube; ihren Raumverlust gewinnt die Küche.

Die Stube wird durch eine gewölbte Bohlendecke überspannt. Die mittlere Bohle, die zuletzt eingeschoben wurde und die übrigen Bohlen unter Spannung hält, steht an der Stirnseite des Hauses vor die Hausflucht vor. Durch diese Decke wirkt die Stube bürgerlich und mag ebenfalls auf gotische Anregungen des unweit gelegenen Straßburg zurückgehen. Sie wird durch einen Kachelofen oder durch einen eisernen Kastenofen erwärmt; eine „Kunst" kennt diese Hausform nicht. Ansonsten unterscheidet sich die Ausstattung der Stube nicht von der der „Heidenhäuser".

An den Wohnteil schließt sich der oft höher gelegene Wirtschaftsteil an. Er ist nicht unterteilt, wenn man von der Brücke absieht, die durch ihn vom Hang aus zum Dachboden führt. Dieser hintere Teil des Hauses bildet, wenn auch unter dem gleichen Dach, einen gesonderten Baukörper, der nur durch mächtige Längshölzer, den Stockpfetten, die von den Wandsäulen getragen werden, mit dem Wohnteil verbunden ist. Das gemauerte Untergeschoß endet in der Regel mit den letzten Wandsäulen des Wohnteils. An der Trennwand von Wohnung und Wirtschaftsteil ist im Boden der „Scheuer" ein Loch, durch das der Futtergang des Stalles mit Heu beschickt wird. Die Wandsäulen stehen in der „Scheuer" auf Schwellen. Dabei folgen die Höhen der Wandsäulen dem Steigen des Geländes, so daß sich die Wandhöhen oft von Wandfeld zu Wandfeld verkürzen und der Wirtschaftsteil dieser Hausform nach hinten abgetreppt erscheint.

Auf die Brücke, die durch die „Scheuer" auf den Dachboden leitet (siehe Zeichnung Seite 8), führt eine Hocheinfahrt, die in der Mitte des hinteren Halbwalmes liegt.

Von der Mitte des 18. Jahrhunderts ab drang die Fachwerkbauweise aus dem Fachwerkgebiet der vorgelagerten Rheinebene in das Kinzigtal und seine Nebentäler. Vielfach wurden nun die Wohntrakte in Fachwerk erstellt. Dabei blieben aber die Merkmale des Kinzigtäler Hauses, die Stelzung, die Abzimmerung auf einem Dielenboden, die durchgehenden Säulen, die auf dem Dielenboden aufstehen, die Fußriegel, die „Nußbühne" und die Raumeinteilung, erhalten.

Im Renchtal, dessen Landesherr bis 1803 der Bischof von Straßburg war, erhielt das Kinzigtäler Haus in diesem Tal unter dem Einfluß von Straßburg einen Giebel.

Im hinteren Kinzigtal, in dem nur wenig Nüsse angepflanzt wurden, hat man bereits im 18. Jahrhundert auf die „Nußbühne" verzichtet, da man mit ihr nichts Rechtes anzufangen wußte, und sie zudem wärmetechnisch sehr ungünstig wirkt. Durch ihren Wegfall gewann die Stube an Höhe. Zugleich gingen die Bauern in diesem Landstrich, der reich an Sandsteinvorkommen ist, zum Steinbau über. Die Konstruktionselemente, der Aufbau des Hauses und die Raumeinteilung blieben jedoch erhalten. Es entstand das „Vereinfachte Kinzigtäler Haus". Diese Entwicklung nahmen zum Teil auch die Häuser im vorderen Kinzigtal.

Aber selbst diese Veränderungen konnten das Verschwinden des Kinzigtäler Hauses nicht aufhalten. Beton und Eisen, billigere Baustoffe, vorgefertigte Bauteile, die neuen Verkehrsmittel Eisenbahn und Lastkraftwagen begünstigten den Siegeszug des formlosen, eintönigen Steinhauses in dieser Landschaft.

Jockelehof von 1588, Kirnbach/Wolfach.

Farmstead built in 1588 at Kirnbach/Wolfach

Rübenmichelhof, 17. Jh., Holdersbach/Oberharmersbach.
17th century farmhouse, Holdersbach/Oberharmersbach

Dachboden mit „Fahr". Sumshof, Kirnbach/Wolfach.
Fodder loft with entrance for carts. Kirnbach/Wolfach.

Hocheinfahrt. Sumshof von 1616, Kirnbach/Wolfach.
Upper floor entrance for carts, 1616 A. D., Kirnbach/Wolfach

Fegerhof, 18. Jh., Oberwolfach.
18th century farmhouse, Oberwolfach

Busamhof mit Renchtäler Giebel, 17. Jh., Lautenbach/Sulzbach.

17th century farmhouse, with typical Rench valley gable, Lautenbach/Sulzbach.

Stube mit gewölbter Decke. Leibgedinghäusle von 1653, Freilichtmuseum Gutach.

Living room with vaulted ceiling. Property of retired farmer, 1653 Open-air museum, Gutach

AVEMARIA

Ecke des Wohnteils in „alemannischer Abzimmerung“.
Abrahamenhof von 1504, Ippichen/Kinzigtal.

Corner of farmhouse with Alemannic carpentry work from 1504, Ippichen, Kinzig valley

Stube des Lorenzenhofes mit „Eisernem Kastenofen“.
Freilichtmuseum Gutach.

Room in farmhouse, with “iron box-shaped stove”.
Gutach open-air museum

Das Gutacher Haus

Dieses Haus ist ohne Zweifel das malerischste Schwarzwaldhaus; es wurde daher im Schrifttum, in Bildbänden und auf Postkarten als „das Schwarzwaldhaus“ bezeichnet. Seine Heimat liegt im ehemaligen Fürstentum Württemberg, in dem Gebiet rechts und links der alten Straße, welche die ehedem württembergischen Ämter Hornberg und St. Georgen verbunden hat. Hier finden sich unter den hölzernen Bauten nur Häuser seiner Art, während im Gutachtal selbst und in seinen westlichen Nebentälern Mischformen stehen mit Elementen dieses Haustyps, des Kinzigtäler Hauses und der Heidenhäuser.
Dieser Landstrich zeichnet sich durch einen großen Formenreichtum aus. Am Unterlauf der Gutach sind die gleichen wirtschaftlichen Verhältnisse gegeben wie im Einzugsgebiet der Kinzig, und an ihrem Oberlauf und in ihrem Quellgebiet gelten die Hochschwarzwälder Gegebenheiten. Die Feld-Graswirtschaft, verbunden mit einer umfangreichen Viehzucht, schaffen die Erwerbsquellen der Bauern. Das Gutachtal bildet die Brücke von den Kinzigtäler Häusern zu denen des Hochschwarzwaldes. Das Gutacher Haus ist daher überformt vom Kinzigtäler Haus und vom Heidenhaus. Sein kennzeichnendes Äußere hat es jedoch durch eine Bauordnung des Fürstentums Württemberg aus dem Jahre 1568 erhalten.
Diese Bauordnung verlangte lehmgetränkte Strohdächer, die Errichtung von Schornsteinen, die allerdings im Schwarzwald unter der Dachhaut enden, die Anlage von Aborten, die Ersetzung der Verplattungen durch Verzapfungen und die Ummauerung der Küchen mit Stein- oder Fachwerkwänden aus Gründen der Feuersicherheit. Der letzten Forderung kamen die Zimmerleute und Bauern nach, indem sie die nunmehr ummauerte Küche in die Mitte der Giebelseite zwischen die holzgefügten Wände legten. Und diese Mittellage der Küche in der Schauseite ist es, welche diese Hausform sehr deutlich abhebt von den übrigen Schwarzwaldhäusern. Ferner ist die Schauseite dieses Typs mit zahlreichen Veranden besetzt, die aus dem Elsaß über das Kinzigtäler Haus ins Gutachtal gekommen sind. Im Sommer, wenn auf diesen Veranden die roten Geranien blühen, bieten sie im Zusammenklang mit dem warmen braunen Holzwerk einen unvergeßlichen Anblick. Gleich dem Kinzigtäler Haus ist die Schauseite mit einem Halbwalm abgedeckt, der auf der halben Höhe des Daches aufsitzt. Ursprünglich waren die Gutacher Häuser mit Stroh gedeckt; diese Deckungsart brauchte nicht durch das Gesetz vorgeschrieben zu werden, denn diese Häuser stehen in einer Landschaft mit mildem Klima, der einen Körneranbau zuläßt.
Das Gutacher Haus besitzt kein Sockelgeschoß; es ist lediglich „unterfahren mit drei Schuh hohem Mauerwerk“, wie es die Bauordnung von 1568 verlangt hat. Auf diesem Mauerwerk stehen die Ecksäulen unmittelbar auf und zeigen damit ein mittelalterliches Überbleibsel, die „alemannische“ Abzimmerung. Gemeinsam mit den „Heidenhäusern“ ist die seitliche Erschließung des Hauses durch einen Hausgang, der von einer Langseite des Hauses querfirstig zur andern führt. Gegen die Talseite sind an den Hausgang die „Vordere Stube“, dann die Küche und am anderen Ende des Ganges die „Hintere Stube“ aufgereiht. Dieser Haustyp ist demnach dreiraumbreit. Auf der anderen Seite des Hausganges liegen Kammern und ein Durchgang zum Stall.
Die „Vordere Stube“ ist auch hier die Seele des Hauswesens. Wie in allen Schwarzwaldhäusern stehen sich in der Stube der „Herrgottswinkel“ mit dem Eßtisch und der Kachelofen mit der „Kunst“ diametral gegenüber. Nur ist der „Herrgottswinkel“ sehr nüchtern gehalten; er hat zuwenig von einem Kultwinkel. Es fehlen hier das Kruzifix und die Heiligenbilder. Nur die Bibel oder ein Andachtsbuch, das in der Nische der Ecksäule dieses Winkels aufbewahrt wird, erinnert noch an die Herkunft der Bezeichnung dieser Ecke aus dem kultischen Bereich. Die trockene Gestaltung des Kultwinkels dieses Hauses und die Thematik der Bilder erklärten sich aus der Zugehörigkeit seines Verbreitungsgebietes zum protestantischen Kulturkreis, denn Württemberg folgte seinerzeit der Reformation.
Die Küche bildet das im Schwarzwald übliche Bild. Vor der Einführung der gemauerten Schornsteine überwölbte ein mäch-

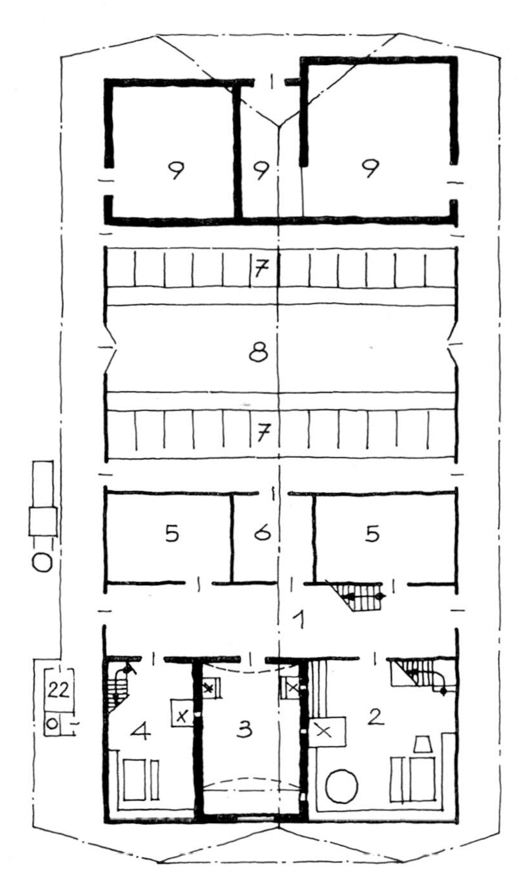

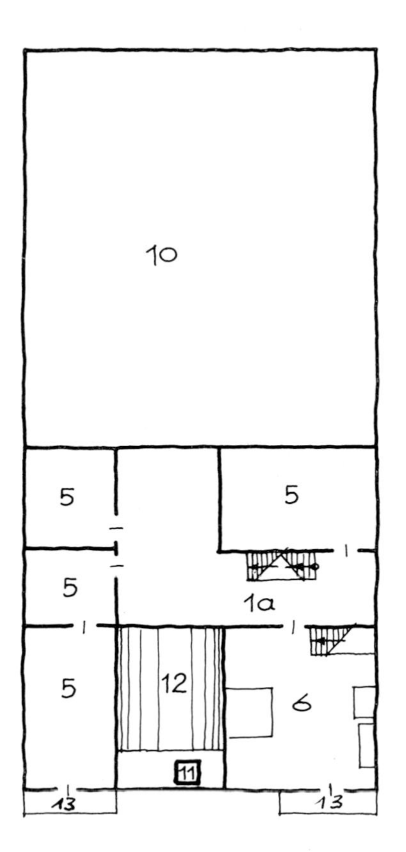

Erd- und Obergeschoß:
1 Unterer Hausgang, 2 Vordere Stube, 3 Küche, 4 Hintere Stube, 5 Kammer, 6 Durchgang, 7 Stall, 8 Futtergang, 9 Keller, 1a Oberer Hausgang, 10 Heuboden, 11 Schornstein, 12 Rauchfang, 13 Veranden.

Ground and upper floors:
1 Lower hallway, 2 Front room, 3 Kitchen, 4 Back room, 5 Bedroom, 6 Passage way, 7 Stable, 8 Feeding passage, 9 Cellar, 1a Upper hallway, 10 Hayloft, 11 Smoke outlet, 12 Chimney, 13 Verandahs.

tiger, zaunwerkgeflochtener Rauchfang „Gwölm", die Feuerstelle. An den Wohnteil schließt sich, in der Art der „Heidenhäuser", der Stall an, der wiederum durch einen Futtergang in zwei Hälften geteilt wird.
Im Obergeschoß befinden sich über der „Vorderen Stube" die Schlafkammer der Bauersleute, über der Küche die Rauchkammer, deren Boden mit losen Brettern belegt ist, über der „Hinteren Stube" eine weitere Schlafkammer und über dem Hausgang der obere Gang. Auf der anderen Seite des oberen Ganges sind über den Kammern des Erdgeschosses weitere Kammern angeordnet.
Über dem Stall liegen die Heubühnen.
Das Dachgerüst ist, wie beim Kinzigtäler Haus, in einem zweiten Arbeitsgang auf den Hauskörper aufgesetzt. Es besteht aus liegenden Stühlen, das heißt das Dach sitzt wie auf Stühlen, deren Beine schräg unter die Dachneigung gestellt sind. Diese Zimmerungsart ist nachmittelalterlich. Der Dachraum hat die gleichen Aufgaben zu erfüllen wie die Dachräume der übrigen Schwarzwaldhäuser. Auch er ist über eine Hocheinfahrt hinweg zu befahren. Das Einfahrtstor zum Dachraum liegt bei diesem Typ, wie beim Kinzigtäler Haus, annähernd in der Mitte des rückwärtigen Walmes.
Das Gutacher Haus hatte eine große Lebenskraft. Bis weit in das letzte Jahrhundert hinein wurde unverändert an seiner Form festgehalten. Ferner erwies es sich als sehr anpassungsfähig. Es drang tief in die Kernlandschaft der „Heidenhäuser" ein und wurde dort zum Vorbild der Zweiparteienhäuser der Gewerbetreibenden. Mit dem Übergang vom Holz- zum Steinbau verschwindet auch dieses eindrucksvolle Haus aus dem Bild der Schwarzwälder Kulturlandschaft.
Das älteste Gutacher Haus, der „Vogtsbauernhof" in Gutach, der 1570 unmittelbar nach dem Erlaß der württembergischen Bauordnung vom württembergischen Vogt erbaut wurde, ist uns glücklicherweise erhalten geblieben. Es bildet heute das Kernstück des Schwarzwälder Freilichtmuseums „Vogtsbauernhof" in Gutach, dessen Besuch wir bestens empfehlen können.

Dachgeschoß mit liegendem Stuhl, die „Fahr“ ist als Dreschtenne ausgebildet. Vogtsbauernhof, Freilichtmuseum Gutach.

Attic with horizontal roof structure, cart entrance combined with threshing floor.

"Vogtsbauernhof", Freilichtmuseum Gutach.
"Vogtsbauernhof" open-air museum, Gutach.

Hof in Buchenberg-Martinsweiler, 17. Jh. Hinter der Fachwerkwand befindet sich die Küche.

17th century farmyard, with kitchen behind framed wall.

Reichensteinerhof, 18. Jh., Reichenbach bei Hornberg.

18th century farmhouse, Reichenbach near Hornberg.

Küche mit Sparherd, Rauchfang und Feuerloch für den Kachelofen.
Vogtsbauernhof, Freilichtmuseum Gutach.

Kitchen with small cooking range, chimney and smoke outlet for tiled stove. Farmhouse in Gutach open-air museum.

Stube mit Eßecke, Kachelofen und Kunst, darüber der Solbalken.
Vogtsbauernhof, Freilichtmuseum Gutach.

Living room with corner bench and dining table, tiled stove with upper rack and wooden beam above it. Farmhouse in Gutach open-air museum

Das Schauinslandhaus

Diese Hausform dient ausschließlich den Bedürfnissen des Viehzüchters, denn der Ackerbau spielt auf dem Schauinsland und in dessen südlich gelegener Umgebung, wenn auch aus andern Gründen, auf die bei den Häusern der Feierabendviehzüchter eingegangen werden wird, eine völlig untergeordnete Rolle. Dieser Typ ist gekennzeichnet durch seine Lage, die Art seiner Erschließung und sein Hausgerüst. Das Schauinslandhaus liegt immer firstparallel mit den Höhenlinien, also querfirstig zur Neigung des Hanges; eine andere Stellung erlauben die steilen Berglehnen nicht.

Der Wanderer auf dem Schauinsland sieht daher nur an die Hänge sich anschmiegende große, trapezförmige Dächer, die an ihren Enden von dreieckigen Dachflächen, den Walmen, begrenzt sind, und in der Mitte dieser Dächer kleine bergwärts gelegene Dachausbauten. Diese zwei Besonderheiten bestimmen das äußere Bild des Schauinslandhauses; sie sind zugleich die wichtigsten Elemente dieser Hausart auf den sturmumtobten und schneereichen Höhen, die nur die Viehwirtschaft zulassen. Mit dieser Lage und Form begegnet diese Hausart am besten den klimatischen Bedingungen ihrer Umwelt. Die weiteren Eigentümlichkeiten dieser Hausart, die Art ihrer Erscheinung und ihr Hausgerüst sind zunächst nur die Folgen ihrer Lage und Form sowie der Herkunft der ersten Siedler, die das mitgebrachte „Heidenhaus" den hier gegebenen Verhältnissen angepaßt haben.

Bei der Herrichtung des Bauplatzes mußte der Hang zumeist angeschnitten und teilweise abgetragen werden. Der Abstich war mit einer Stützmauer zu sichern, und das Gelände mußte einigermaßen eingeebnet und durch eine weitere, talwärts gelegene Sockelmauer, in eine waagerechte Ebene gebracht werden. Alles Mauerwerk ist mit Feldsteinen und Lehmmörtel errichtet. Dabei ergab sich von selbst ein Sockelgeschoß, das als Keller benutzt wird, auf diesem Sockelgeschoß baut sich das hölzerne Haus auf. Zwischen das Haus und den Hang ist ein Raum von etwa vier Meter Breite dazwischengeschaltet, damit die Bergfeuchtigkeit dem hölzernen Haus nicht schaden kann. Der Zwischenraum ist immer überdeckt, so daß er äußerlich mit dem Haus zu einer Einheit verschmilzt, zumal er und das Haus an der Wetterseite von dem hier bis auf den Boden herabgezogenen Walm abgeschlossen werden. Er dient als Schopf.

Auf der dem herrschenden Wind abgelegenen Seite ist der Walm gekürzt und der Zwischenraum durch ein Tor erschlossen. Durch dieses Tor gelangt das Vieh zuerst in den Schopf und von da aus in den Stall. Der Schopf nimmt den Brunnen mit dem Tränktrog für das Vieh auf.

Von der gleichen Schmalseite aus müssen auch die Menschen das Haus betreten. Die Haustür und die Einfahrt für das Vieh befinden sich damit auf der der Sonne zugekehrten Schmalseite des Hauses unter dem gekürzten Walm. Dadurch unterscheidet sich das Schauinslandhaus von den übrigen Häusern des Schwarzwaldes, bei denen die Zugänge für die Menschen und Tiere immer auf der Langseite des Hauses gelegen sind.

Der Besucher eines Schauinslandhauses betritt durch die Haustür zunächst einen kleinen Vorplatz. Auf der talwärts gelegenen Seite dieses Vorplatzes befindet sich die Stube; auf der andern bergwärts sich erstreckenden Seite ist eine kleine Kammer abgeteilt. An der Stirnwand des Vorplatzes, der Haustür gegenüber, entdeckt der Besucher eine Tür, die in die Küche führt, und ein Fenster, das ein wenig Licht in die schwarze Küche fallen läßt. In der Firstrichtung liegt hinter der Stube eine größere Kammer. Die Stube und die Küche sind durch die „Kunstwand", die aus Gneisbrocken und Lehm gemauert ist, voneinander getrennt.

Der Vorplatz und die kleine Kammer sind erst in der jüngsten Zeit von der Küche abgesondert worden. Noch im letzten Jahrhundert führte die Haustür unmittelbar in die Küche. Damit hatte auch dieser Haustyp den zweiraumbreiten Grundriß, der allen Schwarzwälder Firstsäulen-(Hochsäulen-)häusern, mit Ausnahme des Zartener Hauses, eigen ist.

An den Wohnteil schließt sich der Stall an, der je nach der Größe des Viehbestandes ein oder zwei Reihen mit Viehständen und einen Futtergang enthält. Die Viehstände und der Futter-

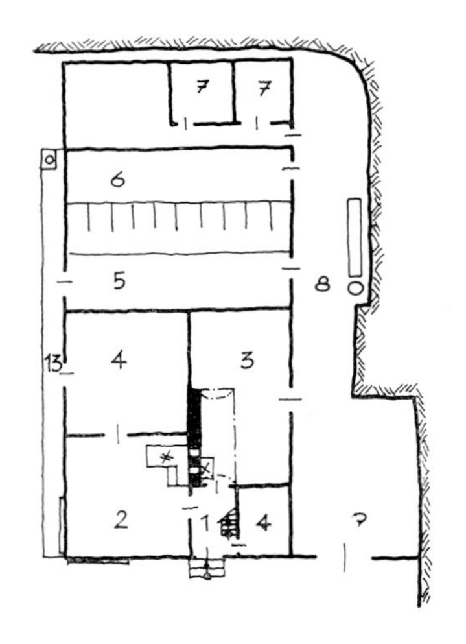

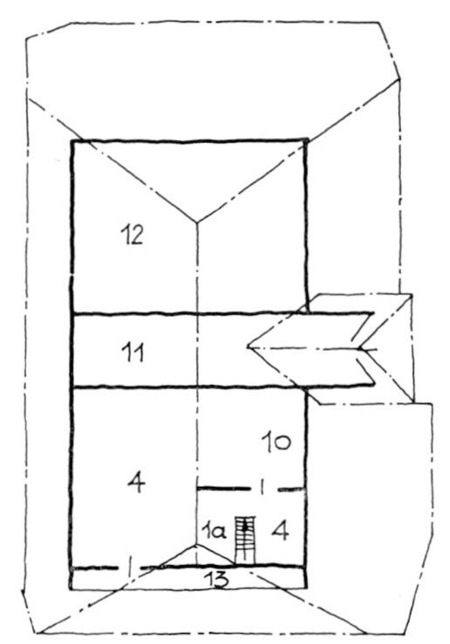

Erd- und Obergeschoß:

1 Unterer Hausgang, 2 Stube, 3 Küche, 4 Kammer, 5 Futtergang, 6 Stall, 7 Schweine, 8 Brunnen, 9 Brunnenschopf, 1a Oberer Hausgang, 10 Feuerbühne, 11 Tenne mit Einfahrtshäusle, 12 Heubühne, 13 Gang.

Ground floor and upper floor:

1 Lower hallway, 2 Living room, 3 Kitchen, 4 Bedroom, 5 Feeding passage, 6 Stable, 7 Pigsty, 8 Water well, 9 Roof over well, 10 Fireplace, 1a Upper hallway, 11 Threshing floor with roofed entrance for carts, 12 Hayloft, 13 Corridor.

gang verlaufen quer zum First. Über einen Gang, welcher der talwärts gelegenen Langseite vorgebaut ist, können die Hofleute in den Stall gelangen, wenn sie nicht durch die Küche und den Brunnenschopf gehen wollen.

Im Obergeschoß befinden sich über dem Wohnteil noch zwei weitere Kammern; die Küche durchmißt in der Höhe das Erdgeschoß und das Obergeschoß. Die Küche und die Kammern des Obergeschosses werden durch die „Feuerbühne“ abgedeckt. In dieser Bühne befinden sich Schlitze, durch die der Rauch der Küche in den Dachraum abzieht.

Über dem Stall liegt die Heubühne, die sich bis unter die Dachdeckung erstreckt. Das Haus hat demnach in seinem Wirtschaftsteil weder eine Zwischendecke noch eine Zwischenbühne. In die Heubühne ist die Tenne auf halber Höhe zwischen Stalldecke und Feuerbühne eingehängt. Ihre tragenden Balken ruhen auf den beiden Längswänden. Mit dieser Ausbildung der Tenne weicht das Schauinslandhaus wiederum ab von den anderen Schwarzwaldhäusern, die feste Tennen oder tennenähnliche Einrichtungen auf der Höhe des Gebälks über den Wohnteilen haben. Auf den Tennen ist früher das gekaufte Getreide gedroschen worden, wie die sorgfältige Fügung ihrer Hölzer verrät; heute dient sie nur noch als Wagenschopf. Größere Betriebe, die seit der Einführung der Stallfütterung einen umfangreicheren Wagenpark benötigen, haben mehrere Tennen zur Aufnahme der Wagen und Karren; ihre Zufahrten, die „Einfahrtshäusle“, prägen des weiteren das Bild der Schauinslandhäuser.

Der Hauskörper und das Dachgerüst sind in der bereits geschilderten Schwarzwälder Hochsäulenbauweise erstellt; sie sind damit eine konstruktive Einheit wie bei den „Heidenhäusern“, die bei der Gestaltung dieses Haustyps als Vorbild gedient haben. Im Unterschied zu den „Heidenhäusern“ läuft unter dem Firstbaum und parallel zu ihm noch ein zweites Längsholz, und die Firsthochsäulen werden durch lange Streben, die schräg durch den Dachraum laufen, in ihrer Stellung zusätzlich festgehalten. Das zweite Längsholz („Katzenband“) ist durch die windexponierte Lage dieser Häuser bedingt. Ferner kann in diesem Haus die Feuerbühne nur als Aufbewahrungsboden für das Gerümpel und nicht als Arbeitsplatz benutzt werden. Das Dach dieser Häuser ist mit Schindeln gedeckt.

Die Ausstattung gleicht der der übrigen Schwarzwaldhäuser. Soweit dieser Haustyp an klimatisch günstiger gelegenen Süd und Westhängen des Schauinslandes neben der Viehzucht einer bescheidenen Ackerwirtschaft dient, ist die Feuerbühne zu einem Wirtschaftsraum umgestaltet und vor die Stirnwand des Hauses vorgekargt worden, so daß hier ein sehr weit vorspringender Walm erscheint. Daneben bedienen sich die Bauern in diesen Gebieten der älteren „Heidenhäuser“ und ihrer Mischformen, die im ganzen Einzugsgebiet der Wiese in die Kulturlandschaft eingestreut liegen. Aber die großen Hofgüter mit ihren Nebenbauten wie Speicher, Hausmahlmühlen, Back- und Brennhäuschen und Berghäusle, mit Riemenfluren und das stolze Bauerntum des Mittel- und Hochschwarzwaldes hat es hier nie gegeben. Die Ackerflur ist in diesem Landstrich in kleine Blöcke gegliedert, in deren Mitte etwa die Häuser liegen. Die Weidberge und der Wald – von wenigen Ausnahmen abgesehen – sind Gemeindebesitz, der gemeinsam genutzt wird. Den hieraus sich ergebenden bescheidenen Einkommensverhältnissen verdanken wir den relativ großen Bestand an alten Häusern in dieser Landschaft.

Schniederlebauernhof, 17. Jh., Hofsgrund/Schauinsland.

17th century farmstead, Hofsgrund, Schauinsland

Schniederlebauernhof mit giebelseitigem Eingang, rechts der Brunnenschopf.

Farmstead with entrance from gable side, with roof over well

Seitliche Hochsäulen mit Dachpfette, Firsthochsäulen mit Firstbaum (oben) und Katzenband (darunter). Schniederlebauernhof, Hofsgrund.

High wooden columns with purlin, high ridge beams with king post (top) and beam (below).

Kirchlebauernhof, 17. Jh., mit drei Wiederkehren, Hofsgrund/Schauinsland.

17th century farmhouse with 3 pitched roofs Hofsgrund/Schauinsland

Bittersthof, 18. Jh., giebelseitiger Eingang, Laube und weit vorspringendes Dachgeschoß, Bollschweil.

18th century farmhouse, with entrance from gable side, balcony and projecting attic. Bollschweil

Weit vorspringender Walm mit Flugdreieck an der Stockpfette. Niederböllen, Haus Nr. 2, 17. Jh.

Projecting hipped roof, purlin with triangular supporting structure House No. 2, Niederboellen, 17th century

Das Hotzenhaus

Das Hotzenhaus war das legitime Kind der Landschaft, die wir heute Hotzenwald nennen. Leider können wir von diesem Haustyp nur noch in der Vergangenheit sprechen, denn er ist fast restlos aus dem Landschaftsbild verschwunden. In seinen einzelnen Bestandteilen ist er jedoch noch gut erkennbar.
Niemand wird erwarten, daß in diesem Gebiet, das von der Natur sehr dürftig ausgestattet ist, ein reiches Bauernhaus vorhanden war. Durchaus dem rauhen Landschaftscharakter angepaßt, trat es dem Beschauer als Einhaus in bescheidener Form und Ausstattung entgegen.
Ein langer quaderförmiger Hauskörper trägt ein strohgedecktes Dach, das über den beiden Schmalseiten in Vollwalmen endet. Der Wohnteil ist gemauert, der Wirtschaftsteil aus Stein und aus Holz gebaut. Das Haus ist in der Regel nach der Sonne orientiert, mit einer Langseite nach Süden gelegen. Dabei liegt die Wohnung unter dem östlichen Vollwalm. Der Zugang zu ihr und zu den Stallungen befindet sich auf der südlichen Langseite. Auf der nördlichen Langseite führt eine Erdrampe durch einen Querbau, das Einfahrtshäusle genannt, in das Obergeschoß des Hauses. Dieses Einfahrtshäusle ist ebenfalls abgewalmt. Sein Walm endet oben in einer kegelförmig gestalteten Strohschaube, die von einem kleinen Kreuz als Firstreiter gekrönt wird. Auf die gleiche Weise sind die Enden der Walme ausgestattet. An der steinernen Hauswand, unmittelbar neben der Haustür, fällt eine Reihe gekuppelter Fenster auf, die in etwa an das Fensterband der Schwarzwaldhäuser erinnert. Zum Erscheinungsbild dieses Hauses gehört ferner der Baumhag auf seiner Westseite. Er schützt das Haus gegen Winde und Regenschauer und wird gebildet von drei bis fünf Schwarzerlen oder Vogelbeerbäumen, die gleichlaufend mit der Traufkante des Walms angepflanzt sind.
So enttäuschend auch das Äußere dieses Typus sein mag, so interessant ist er im Innern. Tritt der Besucher durch die Haustür ein, so gelangt er zu seiner Überraschung zunächst in einen Gang, Schild und Laube genannt, der das eigentliche Haus umläuft. Diese Ummantelung ist ein Wetterschutz.
Das Haus selbst ist aus Holz erstellt, wobei hier als Haus immer das Einhaus, also Wohn- und Wirtschaftsteil zusammen, gemeint ist. Nur die Küche und die Kammern auf der Ostseite sind gemauert. Diese Kammern sind jedoch spätere Umgestaltungen des Schildes, der noch vor 200 Jahren das ganze Haus umlief.
Die Bauweise des Hotzenhauses ist sehr altertümlich. Ohne Zweifel stellt es eine der ältesten Formen der Hochsäulenhäuser dar. Es wurde aus dem heutigen Aargau in diese Landschaft gebracht. Auf dieser recht unfreundlichen Erde ist es von dem Bauern, der unbegreiflicherweise seine wenig ertragreichen Güter beim Erbgang noch teilte, nicht wesentlich weiterentwickelt worden.
Sein Gefüge ist daher mittelalterlich geblieben. Haus- und Dachgerüst bilden noch eine technische Einheit. In der Regel besitzen die Hotzenhäuser drei Traggerüste, die jeweils aus zwei Wandständern, zwei Hochständern und einem Firstständer bestehen. Mittelalterlich sind auch die großen Verschwertungen und das „Katzen-" oder „Firstband", ein parallel zum Firstbaum laufendes Längsholz, das wir bereits beim Schauinslandhaus beobachten konnten. Der Firstbaum und das Firstband sind mit den Mittelrafen der Walme fest verbunden. Desgleichen sind die langen Schwerter an die Hochständer, an das Firstband und an den Firstbaum angeplattet. Die Verschwertungen und das Firstband erhöhen die Standsicherheit dieser Bauten.
Diese Hochständerbauweise, wie sie im Hotzenwald genannt wird, im Verein mit dem Standort dieses Typs auf den Hochflächen des Hotzenwaldes legt die querfirstige Erschließung des Hauskörpers und die Zweigeschossigkeit nahe. Zwischen zwei Hochständerreihen ist der Futtergang gelegt; die dritte Ständerreihe steht in der Wand, die den Hausgang von der Stube und der Küche trennt. Zu beiden Seiten des Futterganges sind die Ställe angeordnet. Der Wohnteil ist zweiraumbreit; nach Süden liegt die Stube und neben ihr, nach Norden, die Küche. Die Küche ist aus Gründen der Feuersicherheit mit Bruchsteinen umwandet. Beide Räume erhalten wegen des vor-

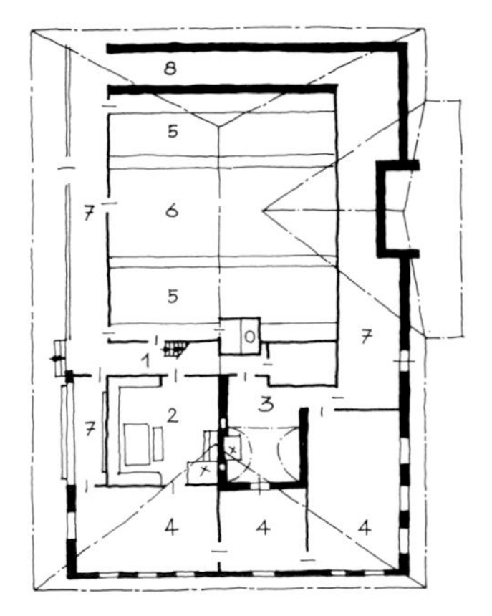

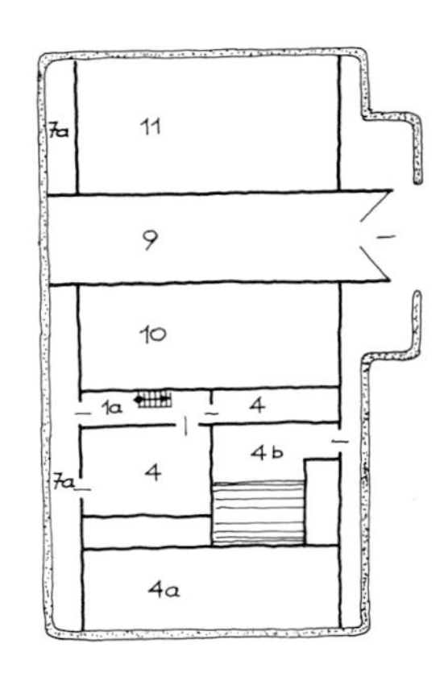

Erd- und Obergeschoß:

1 Unterer Hausgang, 2 Stube, 3 Küche, 4 Kammer, 5 Stall, 6 Futtergang, 7 Gang = „Schild", 8 Schopf, 1a Oberer Hausgang, 9 Einfahrtenne, 10 Heustock, 11 „Bühni", 7a „Läubli", 4a Fruchtkammer, 4b Rauchhurd

Lower and upper floors:
1 Lower hallway, 2 Living room, 3 Kitchen, 4 Bedroom, 5 Stable, 6 Feeding passage, 7 Corridor, 8 Roofed passage, 1a Upper hallway, 9 Barn floor with entrance for carts, 10 Hayloft, 11 Roof void, 7a Verandah, 4a Fruit storage room, 4b Smoking room

gelagerten Schildes nicht viel Licht. Sie sind dunkel und daher wenig wohnlich. Der umlaufende Schild bringt dieses Haus auch um das anziehende architektonische Motiv des Fensterbandes. Unter dem Ostwalm ist der ursprüngliche Schild verbreitert und zu einem Stübchen und zwei Kammern umgestaltet worden. Gleichzeitig wurde mit dieser Erweiterung des Wohnteiles die Kammer in der Südostecke des Hauses unterkellert.
Im Obergeschoß findet sich über der Stube die ehemalige Schlafkammer der Bauersleute, die Stubenkammer. Die Decke dieser Kammer bildet den Boden der Feuerbühne.
Auf diese Bühne gelangt man von der Einfahrtstenne über einen schmalen Steg. Ihn kennt nur das Hotzenhaus. Aus ihm haben sich die Brückentennen entwickelt, die wir beim Schauinslandhaus kennengelernt haben.
Den Küchenherd überwölbt im Obergeschoß der große Rauchfang. Oberhalb der Ställe liegen die Heustöcke. Ins Dachgeschoß führt die Einfahrtstenne, die über dem Futtergang liegt. Die oberen Längshölzer der Einfahrtstenne springen auf der Eingangsseite bis zur äußeren Schildwand vor. Dadurch rückt das Auflager der Rafen, welche die Einfahrtstenne überdecken, in die Höhe. Zugleich treten sie aus der Flucht der übrigen Rafen heraus und erzeugen so eine windschiefe Dachfläche. Das anschmiegsame Strohdach läßt aber die verzogene Dachfläche kaum in Erscheinung treten.
Oberhalb der Einfahrtstenne ist zwischen die beiden Ständerreihen, welche die Tenne flankieren, eine weitere Bühne eingehängt. Auf ihr wird das Stroh gelagert. Auf der Höhe der Stubendecke ist der umlaufende Gang mit Brettern abgedeckt. Hierdurch entstand zwischen der Stubenkammer und der Dachhaut ein im Querschnitt dreieckiger langgestreckter Raum, der bis in unser Jahrhundert hinein als Schlafraum für die heranwachsenden Buben diente.

Wie in diesem alten Notstandsgebiet nicht anders zu erwarten, sind die Häuser dürftig, ja ärmlich ausgestattet. Dem „Herrgottswinkel" mit dem Tisch steht diagonal der Kachelofen mit der „Chouscht", wie hier die „Kunst" genannt wird, gegenüber. Der Kachelofen und der Nebenofen, die „Chouscht", weisen hier begreiflicherweise eine beträchtliche Größe auf. Zumeist standen in den vergangenen Jahren in der Stube und in der einen Stallhälfte Webstühle. Die Not zwang die Hotzen, die Stuben und die Ställe in Werkräume umzuwandeln.
Der Hausrat umfaßt wiederum Schränke, Truhen und Himmelbetten, die zum Teil mit Käsefarben bemalt sind.
Den Hauptschmuck der Hotzenhäuser bildet den Sommer über der blumengefüllte Schild vor der Wohnstube.
Wie eingangs erwähnt, ist das alte Hotzenhaus bis auf wenige Exemplare aus der Landschaft verschwunden. Die Gründe hierfür wurden bereits angedeutet. Einmal erhält das Haus durch den umlaufenden Schild in seinem Innern zuwenig Licht und Luft, und die Unterhaltung der großen Dachflächen ist zu kostspielig geworden. Zum andern hat die Realteilung das Bauerntum zum Verschwinden gebracht. Im Hotzenwald fehlen daher die Speicher, die Mühlen, die Sägen, die den bäuerlichen Schwarzwald kennzeichnen. Die Bauern sind zu Arbeiterbauern geworden, welche die Ställe und die Heustöcke unter dem gewaltigen Dach nicht mehr im alten Umfang brauchen. Dazu kommt, daß zwei, drei, ja vier Familien der verarmten Bewohner infolge des Erbganges in einem Hause wohnen mußten, das ursprünglich nur einer Familie Raum gewährte. Unvorstellbares Wohnungselend herrschte bis vor wenigen Jahren in diesem Landstrich. Hier waren Stuben anzutreffen, in denen Nägel in der Stubenwand die Wohnbezirke der im Hause lebenden Familien abgrenzten. Die Aufteilung des Eigentums förderte nicht die Pflege und Unterhaltung dieser Häuser.

Bergalingen, Haus Nr. 33, 17. Jh.

House No. 33, Bergalingen, from 17th century

Bergalingen, Haus Nr. 33, teilweise verbretterter Schild.

House No. 33, Bergalingen, with boarded up wall

Bergalingen, Haus Nr. 33, Einfahrtshäusle.

House No. 33, Bergalingen, roofed cart entrance

Niedergebisbach, Einfahrtshäusle mit „Chäppeli“, 17. Jh.

17th century roofed cart entrance, Niedergebisbach

Das Zartener Haus

Das Verbreitungsgebiet dieses Haustyps ist die große Mulde ostwärts von Freiburg. Diese Beckenlandschaft, in deren Mitte etwa die Orte Kirchzarten und Zarten liegen, zeichnet sich durch ein mildes Klima aus, das die Dreifelderwirtschaft erlaubt. Jedoch ermöglichen die wenig tiefgründigen Böden nur bescheidene Erträge, so daß neben der Ackerwirtschaft immer eine große Viehzucht einherlief. Die stattlichen Viehherden konnten aber nicht von dem Futter, das auf den die Siedlung umgebenden Matten gewonnen wurde, ernährt werden. Es mußten noch zusätzliche Weiden genutzt werden, die auf den umliegenden Bergen lagen.

In diesem Becken stehen die großen Einhäuser des Zartener Typs in Gruppen mit ihren Langseiten parallel den Straßen, die von Freiburg aus durch die Mulde führen. Der Wohnteil ist dabei nach Osten gerichtet und der Wirtschaftsteil nach Westen. Über dem Wohnteil baut sich ein weit vorspringender Halbwalm auf, während gegen Westen, die Wetterseite, ein Vollwalm, der sehr tief herabgezogen ist, den Stall abdeckt. Der große Walmvorsprung ist eines der Kennzeichen des Zartener Hauses. Er dient u. a. dem Schutz der mit Korn beladenen Wagen, die von hier aus auf die Bühnen unter dem Großwalm entladen werden.

Anfänglich waren diese Häuser mit Stroh gedeckt. Zu Beginn unseres Jahrhunderts mußten die Strohdächer zunächst einer Schindeldeckung und dann einer Deckung mit gebrannten Ziegeln weichen. Hierdurch sind die Dächer sehr schwer geworden, und der Walm über dem Wohnteil mußte durch hölzerne Pfosten unterstützt werden.

Das Zartener Haus gehört zu der Familie der Schwarzwälder Firstsäulen-(Hochsäulen-)häuser, d. h. das Hausgerüst besteht aus mächtigen, auf einem Schwellenkranz stehenden Säulen, die auf ihren Enden unter der Dachdeckung Pfetten tragen, über welchen die Rafen hängen. Somit sind auch hier Haus- und Dachgerüst in mittelalterlicher Weise eine konstruktive Einheit. Eng verbunden ist im Schwarzwald – und das Zartener Becken gehört noch zu ihm – mit dieser Bauweise die dreigefachige Aufteilung des Hauses in einen Wohnteil, eine Tenne und in einen Stall mit dem Futtergang in dessen Mitte. Alle Räume sind von der Langseite her erschlossen.

Der Wohnteil zeigt eine von den „Heidenhäusern“ abweichende Eigentümlichkeit; er ist dreiraumbreit. An dem von Langseite zu Langseite gehenden Hausgang erstreckten sich die Stube, die Küche, ein Stübchen und eine Kammer. Stübchen und Kammer liegen hintereinander in der Firstrichtung. Diese beiden Räume springen aus Gründen der Raumgewinnung vor die Hausflucht und die Flucht des Hausganges. Wir sind diesem dreiraumbreiten Grundriß bereits beim Gutacher Haus begegnet. Bei dieser Hausform ist die Entstehung der Bodenaufteilung geklärt; beim Zartener Haus sind viele Überlegungen möglich, die zur Wahl dieses Grundrisses geführt haben könnten.

Das Obergeschoß ist dem Erdgeschoß entsprechend dreiraumbreit gegliedert. Über der Stube befindet sich die Schlafkammer der Bauersleute, in der Mitte über der Küche die Rauchkammer, in die der Rauch der Küche durch die Spalten der lose aufgelegten Bodenbretter dringt, um von hier aus durch ein Fenster an der Walmseite ins Freie entlassen zu werden. Anschließend folgen das Oberstübchen und eine weitere Kammer. Vom oberen Hausgang aus, der über dem unteren Hausgang liegt, gelangt man auf einen Gang, der das ganze Haus umzieht. Eine weitere Kammer ist im Obergeschoß in die Heubühne eingebaut; sie ist über eine Treppe an der Langseite des Hauses betretbar. Über dem Wohnteil sind die Hochsäulen durch liegende Stühle ersetzt, damit hier ein nicht beengter Arbeitsraum entstehen konnte. Auf den liegenden Stühlen sitzen jedoch im oberen Dachraum wieder Firstsäulen. Der weit vorspringende und sehr große Walm über dem Wohnteil ist aufgehängt. Er birgt zwei übereinander angeordnete Bühnen, auf denen das Korn getrocknet und das Stroh gespeichert werden. Über den Stallungen ist der Dachraum frei; hier wird das Heu gestapelt. Das Zartener Haus kannte noch im letzten Jahrhundert keine Hocheinfahrt. Inzwischen haben jedoch alle Häuser dieser Art Hocheinfahrten in den Dachraum erhalten.

Zur Ausstattung der Räume ist nichts Besonderes zu bemerken. Der dreiraumbreite Wohnteil, seine vor- und zurückspringende Flucht, der weitausladende Walm, der umlaufende Gang, die fehlende Hocheinfahrt sowie eine Reihe kleinerer Abweichungen von der im Schwarzwald üblichen Bauweise rechtfertigen die Eingliederung dieses Hauses in eine besondere Hausgattung. Ihre Lebenskraft war allerdings nicht allzu groß. Jedoch finden sich am Titisee und in der Umgebung von Hinterzarten Häuser dieser Art. Aber nach 1650 etwa sind keine derartigen Häuser mehr erstellt worden. „Jüngere Heidenhäuser" mit Elementen des Zartener Hauses, wie der Großwalm über dem Wohnteil, der umlaufende Gang und das Springen der Hausflucht unter dem Walm, sowie Steinhäuser bestimmen heute das Baugesicht des Zartener Beckens.

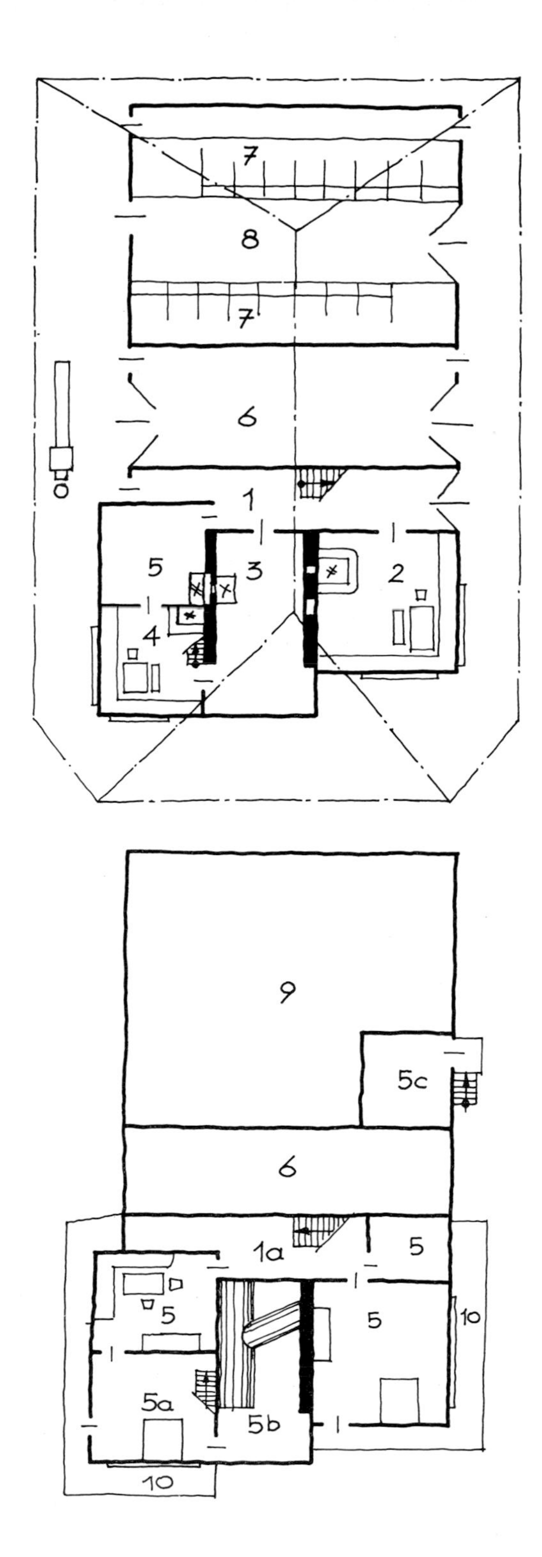

Erd- und Obergeschoß:
1 Unterer Hausgang, 2 Stube, 3 Küche, 4 Stüble, 5 Kammer, 6 Tenne, 7 Stall, 8 Futtergang, 1a Oberer Hausgang, 9 Heustock, 5a Stüblekammer, 5b Rauchkammer, 5c Kapuzinerkammer, 10 Gang.

Lower and upper floors:
1 Lower hallway, 2 Living room, 3 Kitchen, 4 Small living room, 5 Bedroom, 6 Barn floor, 7 Stable, 8 Feeding passage, 1a Upper hallway, 9 Hayloft, 5a Small room, 5b Smoking chamber, 5c Chamber with hooded entrance, 10 Passage

Weit vorspringender Halbwalm. Pfendlerhof, Zarten.

Widely projecting semi-hipped roof. "Pfendler" farmhouse, Zarten

Pfendlerhof von 1610, Zarten bei Freiburg.

"Pfendler" farmhouse, built in 1610, Zarten near Freiburg

Mischformen

In den bisherigen Beschreibungen sind die Schwarzwälder Hausformen mit ausgeprägten Eigenarten zu Hauslandschaften aufgegliedert worden. Diese Typen, die immer einen neuen Baugedanken verkörpern, sind wenig abstrahiert und doch finden sich in ihren Verbreitungsgebieten Spielarten dieser Grundformen, die oft nur durch die Verwendung von nichtschwarzwälderischen Baustoffen, wie Fach- und Mauerwerk, oder durch den Austausch von Bau- und Konstruktionsgliedern entstanden sind. Diese Variationen sind aber bis in unser Jahrhundert hinein in der Minderheit geblieben. Dagegen finden sich an den Grenzen der Artgebiete, an denen die Typen und ihre Variationen aufeinanderstoßen, ausgesprochene Mischformen, wie etwa gestelzte „Jüngere Heidenhäuser", „Jüngere Heidenhäuser" mit Giebel und Fachwerk, „Jüngere Heidenhäuser" mit Hotzenwälder Schild, „Jüngere Heidenhäuser" mit vor- und zurückspringenden Hausfluchten und umlaufenden Gängen, Schauinslandhäuser mit Walmen des Zartener Hauses, Kinzigtäler Häuser mit Heidenhausgrundrissen im Wirtschaftsteil, zweigeschossige Kinzigtäler Häuser und Gutacher Häuser mit Untergeschossen. Immer aber wird der aufmerksame Beobachter den Ausgangstypus erkennen und hinter dieser Vielfalt die Schwarzwälder Bauern und Zimmerleute in ihren rationalen und irrationalen Bindungen sehen.

Fixenhof, 17. Jh., Mühlenbach.

17th century "Fixen" farmhouse, Muehlenbach

Ebnerhof, 17. Jh., Innere Höfe/Brenden.

„Ebner“ farmhouse, 17th century, inner courts, Brenden

Flammhof von 1674, Wildtal bei Freiburg.

Farmhouse built in 1674, Wildtal near Freiburg

Die Nebenbauten der Schwarzwälder Bauernhäuser

Jeder Schwarzwaldhof war bis vor wenigen Jahrzehnten ein geschlossener Selbstversorgungskreis, in dem alles erzeugt wurde, was der Bauer und seine Wirtschaft benötigte. Selbst die Handwerker, wie der Schuhmacher, der Schneider, die Schneiderin, der Korbmacher und der Metzger, kamen ins Haus. Dieser Wirtschaft dienten der Speicher, die Hausmahlmühle, das Back-, Wasch- und Brennhäusle, die Sägemühle, die auf der Hofflur stehen und mit dem Hauptgebäude eine wirtschaftliche Einheit bildeten. Ferner gehörte hierzu ein Berg- oder Höhenhäuschen und unter Umständen einige Viehhütten. Auf der Hofreite der größeren Bauern finden sich des weiteren eine Hofkapelle und ein Häuschen für den Altbauern.

Die Speicher

Die Speicher treten uns in zwei Formen entgegen, eine einfache Art und eine zweite, die zu einem Häuschen mit Dachstühlen ausgewachsen ist. Die einfache Art stellt eine Vorratskiste ohne Deckel dar, die oben mit einem Satteldach abgedeckt ist. Hierdurch ergibt sich ein fünfeckiger Querschnitt. Das Ganze ist gegen Bodenfeuchtigkeit und Nager auf Pfähle gestellt. An der hofwärts gelegenen Stirnseite führt eine Tür ins Speicherinnere. Diese Form ist an die „Heidenhäuser" gebunden.
Die zweite Art findet sich im Einzugsgebiet der Kinzig und der unteren Gutach. Hier hat der Speicherbau eine besonders aufwendige Ausbildung erfahren. Der eigentliche Speicher besteht aus einem holzgezimmerten quadratförmigen Kasten, der von einem laubenartigen Gang umlaufen wird. Oben wird dieser Kasten durch ein Satteldach überdeckt, das sehr oft abgewalmt ist. Zwischen der Kastendecke und dem Boden des Daches ist ein sehr niedriger Zwischenraum nach Art der Nußbühne des Kinzigtäler Hauses eingeschoben. Dieser Speicher steht auf einem steinernen Untergeschoß. In diesem Untergeschoß finden sich eine Obstpresse, die Mostfässer und der Brennkessel, soweit er nicht in einem besonderen Häusle untergebracht ist, die Brothange, die Hürden für die Äpfel und die Birnen und die zu überwinternden Gartenfrüchte.
Beide Speicherarten haben die Aufgabe, die erforderlichen Lebensmittel, den Schnaps und die Grundstoffe für die Kleidung, wie Hanf, Schafwolle und die Viehhäute, sowie drei Ernten aufzuspeichern, sie vor Verderb und Feuersgefahr zu schützen, so daß der Fortbestand des Hofes auch nach einem Brand, einem Hagelschlag oder einem Jahr des Mißwachses gesichert ist. Diese Schatzkammer des Hofes steht immer so, daß sie der Bauer von seiner Stube aus überblicken kann.
Die Innenausstattung ist bei beiden Arten gleich. Die Tür führt in einen Mittelgang, an dessen Seiten sich die Fruchtkästen gruppieren. Über den Fruchtkästen stehen auf Bordbrettern große bauchige Korbflaschen mit Schnaps, allerlei Geräte und Werkzeuge sowie Kästchen für die selbstgewobenen Wäschestücke. An der hinteren Wand hängt ein Wandschränkchen, das die Urkunden des Hofes aufnahm. Einzelne Hochschwarzwälder Speicher haben an dieser Stelle ein Geheimfach, das neben den Urkunden auch das Bargeld, das in einer Schweinsblase aufgehoben wurde, barg.
Mancherorts ist der Speicher mit der Hofkapelle verbunden. In diesem Fall trägt er einen Dachreiter mit einer Glocke, welche die Hofleute zum Essen ruft, die zum Englischen Gruß geläutet wird, bei herannahenden Gewittern das Wetter verscheuchen soll und in Stunden der Not Hilfe herbeirufen kann.

Die Hausmahlmühle

Ein richtiger Schwarzwälder Bauer pflanzt, mahlt und backt sein Brot selbst. Bereits im 16. Jahrhundert hat er sich das Recht erkämpft, eine Mühle erstellen zu dürfen und sich damit aus dem Mühlbann gelöst.
Das Triebwerk ist im wesentlichen mittelalterlich. Es besteht aus Wasserrad, Wellbaum, Kammrad, das in ein Korbgetriebe

(Ritzel) greift, Lang- oder Mühleisen, dem Boden- und dem daraufsitzenden Läuferstein und dem Einschütttrichter. Vor diesem Werk steht der Beutelkasten, in dem das Mehl von der Kleie getrennt wird. Den Beutelkasten zierte ein „Kleiekotzer", eine Fratze, welche die Kleie ausspeit. Diese „Kleiekotzer", die zumeist Liebhaber gefunden haben, die sie mitnahmen, sollen unguten Mächten den Eintritt in den Beutelkasten verwehren.
In den milderen Lagen des Schwarzwaldes sind die Mühlwerke oft mit Stampfen gekoppelt. Diese Stampfen zerstoßen Gerste zu Graupen und Knochen zu Hundefutter. Früher dienten sie des weiteren zum Stampfen von Hirse, Dinkel, Heublumen und Hanf.
Mühlwerk und Stampfe sind in bescheidenen hölzernen Häuschen untergebracht, deren Türen halb gebrochen sein mußten.
Da die Wassermenge je nach der Jahreszeit unterschiedlich ist, wird das Wasser meist in Weihern gesammelt, zumal wenn der Hof noch eine Sägemühle besitzt. Diese Weiher, die auch zum Wässern und Düngen der Wiesen benützt werden, gehören ebenfalls zum Bild der Schwarzwälder Kulturlandschaft.
Das „Klappern der Mühlen am rauschenden Bach" und die Speicher gehören der Vergangenheit an. Die elektrische Mühle, die modernen Konservierungsmethoden und die Hagel- und Feuerversicherungen haben sie überflüssig gemacht.

Die Sägemühle

Die reichlich vorhandenen Wasserkräfte und der Holzreichtum führten in den Landschaften, in denen das Holz schwer ans Geld zu bringen war, weil keine Abfuhrmöglichkeiten vorhanden waren, bereits im 13. Jahrhundert zur Errichtung zahlreicher Sägemühlen. Die ältesten Sägemühlen sind „Plotzsägen" oder „Klopfsägen". Zapfen, welche in den Wellbaum, auf dem das Wasserrad sitzt, eingelassen sind, schlagen das Sägeblatt in die Höhe, aus der es durch das eigene Gewicht „herunterplotzt" und dabei den Stamm aufschneidet. Eine sinnvolle Hebelübersetzung, die beim Emporschlagen betätigt wird, schiebt mit einem Korbgetriebe den Wagen, auf dem der Stamm aufgepflockt ist.
Gegen das Ende des 18. Jahrhunderts wurde die „Plotzsäge" durch die verbesserte „Hochgangsäge", deren Sägeblatt durch eine Exzenterscheibe auf- und abgeführt wird, vielerorts verdrängt. Von den achtziger Jahren des letzten Jahrhunderts ab setzte sich die Gattersäge durch. Diese Entwicklung machten jedoch nur wenige Bauernsägen mit, denn der inzwischen erfolgte Übergang vom Holz- zum Steinbau hat die Sägemühlen überflüssig gemacht. Ihre Einrichtungen wanderten zum Alteisenhändler, und nur noch die leeren Sägehallen, soweit sie nicht abgebrochen worden sind, zeugen von den einst zahlreich vorhanden gewesenen Sägen. Wenn der Wanderer Glück hat, kann er noch die eine oder andere Plotz- oder Hochgangsäge antreffen.

Das Leibgedinghäusle

Es gehört nicht zur Wirtschaft eines Hofes, aber zum Bild eines Schwarzwälder Bauernhofes, denn es steht auf der Hofflur. In den sechziger Jahren zieht sich der Schwarzwälder Bauer auf sein Altenteil zurück und übergibt seinen Hof dem Jüngsten, dem „Hofengel". Die weichenden Erben müssen dann, dem Wert des Hofes entsprechend, ausbezahlt werden. Jedoch steht dem „Hofengel" ein vorteilhafter Kaufpreis, der „Kindliche Anschlag", zu. Die schwere Last, die der Hoferbe damit übernimmt, kann er, wenn er Glück hat, durch einen entsprechenden Holzeinschlag abdecken. Der Bauer selbst sichert sich durch einen peinlich abgefaßten Vertrag seine Rechte und seine Bezüge, die ihm ein sorgenloses Alter sicherstellen. Kleinere Höfe weisen ihm im Hauptgebäude ein Stüble, eine Kammer und eventuell eine kleine Küche zu, während die reicheren Bauern sich auf der Hofreite ein Häuschen erstellen. Diese

Häuschen ähneln ihren Vorbildern, den Hauptgebäuden, nur sind ihre Abmessungen sehr bescheiden, zumal der Altbauer auf einen Stall verzichten kann, da ihm der Milch-, Fett- und Fleischbezug durch Vertrag gesichert ist.

Das Back- und Brennhäusle

Die Backhäuschen sind Begleitbauten der „Heidenhäuser". Im milderen Einzugsgebiet der Kinzig und der unteren Gutach steht der Backofen zumeist ungeschützt auf der Hofreite. An die Stelle des Backhäuschens tritt hier das Brennhäusle. In ihm werden das Kirsch-, Zwetschgen- und Zibartlewasser (Zibartle sind wilde Mirabellen), kurzum der „Brenz" gebrannt.
Die Back- und Brennhäusle stehen auf der Hofflur. Es sind kleine steingemauerte, fensterlose Häuschen mit ziegelgedeckten Satteldächern.

Die Höhen- oder Berghäuschen

Zum Wirtschaftsbetrieb eines Schwarzwaldhofes gehörte ferner ein Höhen- oder Berghäusle. Es stand auf dem Weidberg des Hofes. In ihm betreute ein Sohn oder Tochtermann einen Teil des einst großen Viehbestandes, vor allem das Jungvieh. Äußerlich sind diese Häuschen die Kleinausgaben ihrer Vorbilder, der „Heidenhäuser" oder des Kinzigtäler Hauses. Im Gebiet der „Heidenhäuser" haben die älteren Berghäuschen noch die Hochsäulen. Die jüngeren sind mit liegenden Stühlen abgezimmert. Kleinere Höfe begnügen sich mit einer Viehhütte, die heute noch in manchen Tälern die Hänge belebt.
Mit der Verlagerung der Viehwirtschaft von der Weide in den Stall und der gleichzeitigen Verkleinerung des Viehbestandes wurden die Berghäuschen überflüssig. Sie wurden in den Folgezeiten von den Bauern vielfach abgestoßen und dienen heute einem Nachfahren, der in der aufkommenden Schwarzwälder Industrie eine lohnendere Beschäftigung gefunden hat als Wohnung. Wieder andere Berghäuschen wurden als Wochenendhäuser von den Höfen abgetrennt. Im Umkreis des Feldbergs und des Zartener Beckens wurden sie auch zu Gaststätten umgebaut. Das gleiche Schicksal erfuhren ebenfalls die genossenschaftlich betriebenen großen Viehhütten an den Abhängen des Feldbergs. In einigen Fällen schichtete sich des weiteren eine neue Bauernstelle ab, die leicht an ihrem Namen zu erkennen ist. Es sind dies die Häuslebauernhöfe, Höflebauern und die Viertelshöfle.

Die Hofkapellen

Sie sind Andachtsräume, in denen sich der Bauer, seine Familie und sein Gesinde zu gemeinsamem Gebet versammeln. Sie hängen mit der Reformtätigkeit der Jesuiten zusammen und finden sich daher in der Mehrzahl in den ehedem vorderösterreichischen Landesteilen als Begleiter der „Heidenhäuser". Hier haben sie neben den Wirtschaftsgebäuden auf der Hofflur ihren Platz gefunden und verstärken so den heimeligen und friedlichen Gesamteindruck des Hofes.
Sie sind aus Holz oder aus Mauerwerk gebaut. Das Dach krönt sehr oft ein Dachreiter mit einer Glocke. Seine Gestalt ist verschieden. Gotische Spitzen, sechs- und achteckige schlanke Türmchen neben barocken Zwiebeln finden sich auf Rufweite. Der Altarplatz wird durch eine Nische, aus einem halben Sechseck oder einem Halbkreis, gebildet. Auf dem Altarbild und auf den Bildern an den Wänden sind in kräftigen, ja grellen Farben göttliche Personen und die Heiligen des Bauerndaseins, die Helfer in Nöten von Mensch und Vieh, dargestellt. Daneben erinnern Tafeln an die in den beiden Weltkriegen verbliebenen Söhne. Alles in allem keine Kunstwerke, aber rührende Zeichen der Volksfrömmigkeit.

Speicher des Lorenzenhofes im Freilichtmuseum Gutach.

Granary of "Lorenzenhof" farmhouse, Gutach open-air museum

Hochschwarzwälder Speicher, Ende 16. Jh. und Kapelle von 1736. Freilichtmuseum Gutach.

Black Forest granary, 16th century, with chapel from 1736 Gutach open-air museum

Kinzigtäler Speicher, 17. Jh., Rasihof, Einbach (Kreis Wolfach).

Kinzig valley granary, 17th century, Einbach, Wolfach district

Kinzigtäler Speicher von 1612. Freilichtmuseum Gutach.

Kinzig valley granary 1612. Gutach open-air museum

Speicherinneres. Freilichtmuseum Gutach.

Granary of „Lorenzenhof" farmhouse, Gutach open-air museum

Mühle, 18. Jh., Landwasserhof, Oberprechtal.

Water mill, 18th century, Oberprechtal

Mühle mit Kammrad und „Biet", Boden- mit Läuferstein, davor Beutelwerk mit Kleiekotzer. Freilichtmuseum Gutach.

Water driven mill with cog wheel, lower and upper millstones, with bolter and pollard ejector in front. Gutach open-air museum

Plotz- bzw. Klopfsäge von 1673. Freilichtmuseum Gutach.

Saw mill built in 1673. Gutach open-air museum

Inneres der Plotz- bzw. Klopfsäge. Freilichtmuseum Gutach.

Interior of saw mill. Gutach open-air museum

Inneres der Hammerschmiede (Schwanzhammer). Freilichtmuseum Gutach.

Hammer mill interior (tilt hammer). Gutach open-air museum

Hammerschmiede mit Ölmühle, Weiher mit „Kämpfl".

Hammer forge with oil mill, mill pond with cottage Gutach open-air museum

Berghäusle mit Mühle des Rankhofes, 18. Jh., St. Märgen.

18th century mountain cottage with mill, St. Märgen.

Berg- oder Höhenhäusle des Zähringerhofes, 17. Jh., Schollach.

Mountain cottage of "Zaehringer Farm", 17th century, Schollach

Kapelle mit barockem Säulenaltar. Freilichtmuseum Gutach.

Chapel with baroque columnar altar. Gutach open-air museum

Longinuskreuz am Hippenseppenhof. Freilichtmuseum Gutach.

"Longinus" Cross at farmhouse wall. Gutach open-air museum

Back- und Brennhäusle, 19. Jh., Freilichtmuseum Gutach.

Cottage used for baking and distilling, 19th century
Gutach open-air museum

Hanfreibe im Freilichtmuseum Gutach.

Hemp grater, Gutach open-air museum

Die Häuser der Waldgewerbler

Zum Bild der Schwarzwälder Häuser gehören auch die Bauten der Waldgewerbler. Der Schwarzwald war ja nicht nur ein Bauernland, sondern immer ein recht lebhaftes Gewerbegebiet. Mit den ersten Siedlern kamen Glasmacher, Bergleute, Harzer und Köhler in den Wald, zu denen sich etwas später noch die Schnefler, die Holzwaren verfertigten, und vom 18. Jahrhundert ab die Uhrmacher und die Waldarbeiter gesellten.

Die Köhler haben keine Spuren im Siedlungsbild hinterlassen; sie waren wohl zu arm, um zu festen Häusern zu kommen. Dagegen ist eine Harzersiedlung, die auf dem Höchst liegt, mit einer steingebauten Pechhütte auf uns gekommen. Die Wohnstätten dieser Siedlung sind kleine, hölzerne, verschindelte Häuschen ohne nennenswerte Wirtschaftsräume. Offensichtlich sind die Harzer nie über die Haltung einer oder zweier Ziegen hinausgekommen. Die Raumaufteilung ihrer Häuschen scheint von der nahen Bergmannssiedlung in Eisenbach beeinflußt worden zu sein.

Im Gegensatz zu dieser Harzersiedlung verraten die Niederlassungen der Glasmacher einen breiteren Lebenszuschnitt. In der Glasersiedlung Glashütte bei St. Märgen aus dem Ende des 16. Jahrhunderts, die älteste Siedlung dieser Art, die erhalten geblieben ist — die Glasmacherei ist älter, wie die vielen Flurnamen mit dem Bestimmungswort -glas bezeugen —, wohnten die Meister in behäbigen Häusern in der Art der „Jüngeren Heidenhäuser“, bei denen nur die Wirtschaftsräume kleiner sind, und ihre Knechte hausten in Einzelhäuschen, deren Aufbau schwarzwälderisch, ihre Bodenaufteilung jedoch im Schwarzwald einmalig ist. Ähnliche Häuschen finden sich in Blasiwald; ihre Anlage dürfte auf eine alte Glashütte zurückgehen. In den ebenfalls erhalten gebliebenen Glashütten Bubenbach, Äule und Herzogenweiler lebten die Meister in stattlichen Ein- und Zweifamilienhäusern, die sich in der Gestaltung an die Bauernhäuser ihrer Umgebung halten, während die Glasknechte in diesen Niederlassungen in Mehrparteienhäuser untergebracht waren, die nur noch durch ihre Abzimmerung und die großen Dächer an die Schwarzwaldhäuser anklingen.

Die Bergleute in den Revieren südlich des Schauinslands und im Kinzigtal bedienten sich der Kleinformen der ortsüblichen Bauernhäuser. Nur im Eisenbacher Revier erinnern noch einige Bergmannshäuschen mit ihren Grundrissen an die Tiroler Seitenflurhäuser und damit an die Verflechtung des Bergbaues in den ehedem vorderösterreichischen Gebieten mit Tirol. Diese Häuschen sind leicht an dem Platz der Haustür zu erkennen; sie ist im Giebel des Hauses unmittelbar an die Längswand gerückt.

Alle Bergmannshäuschen scharen sich um die Grubeneinfahrten und um die Hüttengebäude.

Sehr viele Variationen der „Jüngeren Heidenhäuser“ und des Schauinslandhauses schufen die Schnefler in den Einzugsgebieten der Wiese und der Alb. Zumeist sind es Zwei- und Mehrfamilienhäuser, in denen sehr oft eine Küche gemeinsam benutzt werden muß. Diese Mehrparteienhäuser mit ihren großen Dächern sehen wie Bauernhäuser aus. Beim aufmerksamen Betrachten weisen sie sich jedoch einmal durch ihre reiche Befensterung als Behausungen einer Bevölkerung aus, die durch ihre Arbeit an die Stube gebunden ist. Zum andern sind die Siedlungsweise und die Ackerflur nichtschwarzwälderisch. Die Häuser sind zu lockeren Dörfern zusammengerückt und die Wirtschaftsflur ist in kleine Parzellen zerstückelt.

Die Uhrmacher im mittleren Schwarzwald, deren Zahl ab 1700 immer größer wurde, bevorzugten das ihnen bekannte Gutacher Haus, das sich sowohl als Einfamilien- wie als Zweifamilienhaus als besonders geeignet anbot. Die Küche dieser Form brauchte nur durch eine Wand halbiert zu werden, und das Doppelhaus war geschaffen. Diese Häuser wurden quer zum Hang gestellt, um eine günstige Teilung des Dachraumes zu erzielen. Die Einfahrt blieb auf diese Weise an ihrem alten Platz. Alt- und Neubauten dieser Art durchsetzten in steigendem Maß im mittleren Schwarzwald die Bauernhauslandschaft.

Im südlichen wie im nördlichen Schwarzwald wurden bereits im 18. Jahrhundert planmäßig Holzhauerkolonien angelegt. Die Waldkolonien des nördlichen Schwarzwaldes bestanden an-

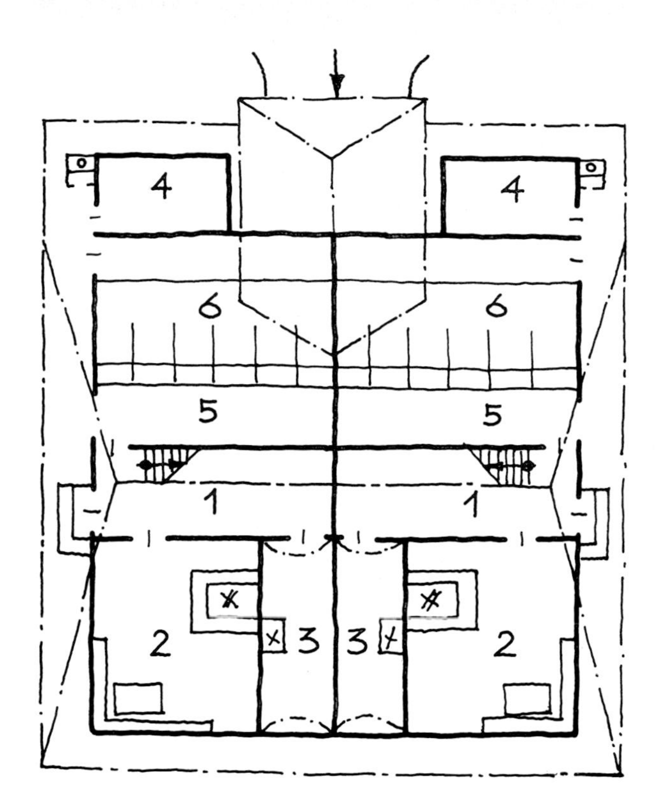

Uhrmacherdoppelhaus:
1 Hausgang, 2 Stube, 3 Küche, 4 Kammer, 5 Futtergang, 6 Stall.

Twin house of watchmakers:
1 Hallway, 2 Living room, 3 Kitchen, 4 Bedroom, 5 Feeding passage, 6 Stable.

fänglich aus Blockhütten; sie sind aber längst neueren Fachwerkhäuschen gewichen. Beispiele hierfür sind Hundsbach und Kälberbronn. Die sanktblasianische Holzhauerkolonie Herrenschwand-Hinterdorf wurde üppiger gebaut.
Im 19. Jahrhundert und heute treten weitgehend das Land, die Standesherrschaften und die Gemeinden als Ersteller von Waldarbeiterhäuschen in Erscheinung. Die Säkularisierung der Klöster und die Auflassung vieler Hofgüter in den vierziger Jahren des letzten Jahrhunderts brachten sie in den Besitz großer Wälder, die bewirtschaftet werden mußten. Die hierzu benötigten Arbeitskräfte konnten nur in die Wälder gebracht werden, wenn ihnen Unterkünfte geboten wurden. So entstanden viele Forsthäuser, die sich erfreulicherweise auch heute noch an die ortsüblichen Hausformen anlehnen.
Damit ist die Wanderung durch die Hauslandschaften des Schwarzwaldes beendet. Sie gehören zu den eindrucksvollsten des ganzen deutschen Sprachgebietes. So vielfältig auch die Schwarzwälder Hausformen sind — das Haus gleicht ja einem Organismus, der auf ständiger Wanderschaft in steter Veränderung begriffen ist —, fügen sie sich immer in einmaliger Weise in ihre Umwelt ein und vermitteln so einen geschlossenen Gesamteindruck. Längst sind sie zum Inbegriff der Schwarzwälder Kulturlandschaft und ihres Waldbauerntums geworden.

Wer Freude an den Schwarzwaldhäusern gefunden hat und wer sich nicht mit Bildern begnügen will, wer einmal durch ein derartiges Haus vom Erdgeschoß bis unter das Dach durchgehen will, dem sei ein Besuch des Schwarzwälder Freilichtmuseums „Vogtsbauernhof“ in Gutach im Schwarzwald empfohlen.
In diesem Museum sind die drei eindrucksvollsten Schwarzwaldhäuser, das Haus des Hochschwarzwaldes, das „Heidenhaus“, das Haus des Gutachgebietes, das Gutacher Haus und das Haus des Kinzigtales und seiner Nebentäler, das Kinzigtäler Haus, zur Besichtigung aufgestellt.
Diese Häuser, die dem 16. und 17. Jahrhundert entstammen, sind mit altem Hausrat und Wirtschaftsgerät ausgestattet, so daß dem Besucher ein lebendiges Bild der Lebens- und Schaffensweise der alten Schwarzwälder vermittelt wird.
Sie sind eine einzigartige Dokumentation der Schwarzwälder Hausgeschichte und der Arbeits- und Lebenswelt der Wäldler.
Des weiteren sind die Begleitbauten dieser prachtvollen Häuser zu sehen: so ein Speicher von Hochschwarzwälder Art, ein Speicher Gutacher bzw. Kinzigtäler Bauweise, eine Hausmahlmühle mit interessantem „Kleiekotzer“ und einer Stampfe, die älteste Sägemühle des Schwarzwaldes, eine „Plotz-(Klopf-)sägi“ und deren Nachfolgerin, die Hochgangsägemühle, ein Back- und Brennhäusle, eine Hanfreibe mit Gerstenstampfe sowie eine Hammerschmiede, eine Ölmühle und ein Kohlenmeiler.
Alle Maschinen sind durch Wasser angetrieben. In den Sommermonaten finden ständig sachkundige Führungen statt, bei denen die Maschinen in Betrieb gesetzt werden.
Ein Besuch dieses Museums bietet somit einen vorzüglichen Anschauungsstoff zu dem vorliegenden Buch und ergänzt es auf das vortrefflichste. Es liegt für eine Besichtigung sehr günstig und ist leicht zu erreichen. Es befindet sich etwa 2 km südlich der Kinzigbrücke zwischen Hausach und Wolfach und wenige hundert Meter von der Bundesstraße 33 Hausach—Triberg entfernt. Von dieser Straße ist das Museum zu sehen, so daß es jedem Schwarzwaldreisenden sofort auffällt.

Uhrmacherdoppelwohnhaus, 18. Jh., Katzensteig/Furtwangen.
Twin house of watchmakers, 18th century, Katzensteig/Furtwangen

Haus eines Holzhauers, 17. Jh., Einbach/Hausach.
House of a woodcutter, 17th century, Einbach/Hausach

Kuderlehäusle, Haus eines Waldarbeiters, 18. Jh., Gutach.

House of a forest keeper, 18th century, Gutach

Glaserniederlassung aus dem Ende des 16. Jh. Rechts die großen Häuser der Meister, links an der Straße die Häusle der Glasknechte. Glashütte/St. Märgen.

Glassmakers' settlement, end of 16th century. On the right the larger houses of the guild masters, on the left of the road the small houses of the glass workers. Glashuette/St. Maergen

Fallerhäusle, Haus eines Bergmanns, 17. Jh., Hofsgrund/Schauinsland.

House of a miner, 17th century, Hofsgrund/Schauinsland.

Lorenzenhof im Freilichtmuseum Gutach.

Farmhouse in open-air museum, Gutach.

1
2
3
4
5
6
7
8
9
10
11
P
Richter

P Pförtnerhäuschen (Kasse), 1 Grenzstein des Klosters St. Georgen, 2 Hippenseppenhof („Heidenhaus"), 3 Hochschwarzwälder Speicher, 4 Hofkapelle, 5 Kohlenmeiler, 6 Vogtsbauernhof („Gutacher Haus"), 7 Gutacher Speicher, 8 Back- und Brennhäusle, 9 Plotzsägemühle, 10 Bienenfreiständer, 11 Hausmahlmühle, 12 Grenzstein: Württemberg-Fürstenberg, 13 Kinzigtäler Speicher, 14 Lorenzenhof (Kinzigtäler Haus), 15 Bähofen (Wiedküche), 16 Backhütte, 17 Hochgangsägemühle, 18 Hanfreibe, 19 Grenzstein Württemberg-Herrschaft Falkenstein, 20 Leibgedinghäusle, 21 Hammerschmiede und Ölmühle.

P Gatekeeper's house (with cashier's office), 1 Boundary stone of St. Georgen monastery, 2 "Heidenhaus" farmhouse, 3 Black Forest granary, 4 Chapel, 5 Charcoal pile, 6 "Gutach" farmhouse, 7 Gutach granary, 8 Baking and distilling cottage, 9 Saw mill, 10 Beehouse, 11 Flour mill, 12 Boundary stone of Fürstenberg territory, Wuerttemberg, 13 Kinzig valley granary, 14 Kinzig valley farmhouse, 15 Oven, 16 Bakehouse, 17 Upstroke saw mill, 18 Hemp grinder, 19 Boundary stone of Wuerttemberg's Falkenstein territory, 20 House of retired farmer, 21 Hammer forge with oil mill.

Dieses Schaubild des Freilichtmuseums „Vogtsbauernhof" ist dem Führer durch dieses Museum entnommen.

This general view oft the "Vogtsbauernhof" open-air museum, Gutach was taken from the "Museum's Guide".

Vogtsbauernhof von 1570. Freilichtmuseum Gutach.

Farmstead of 1570, Gutach open-air museum